Angelo Poliziano
Stanze
Fabula di Orfeo

ANGELO AMBROGINI
detto il **POLIZIANO**

Stanze
Fabula di Orfeo

A cura di
Stefano Carrai

MURSIA

La sezione di Italianistica di questa Collana è diretta da ROBERTO FEDI.

Il nostro indirizzo Internet è: http://www.mursia.com

© Copyright 1988 Gruppo Ugo Mursia Editore S.p.A.
Tutti i diritti riservati - *Printed in Italy*
3203/AC - Gruppo Ugo Mursia Editore S.p.A. - Via Tadino, 29 - Milano
Stampato dal Consorzio Artigiano «L.V.G.» - Azzate (Varese)

Anno	Ristampa
01 00 99 98	6 7 8 9

INTRODUZIONE

Conclusosi sulla Laguna, il 2 novembre 1474, l'accordo tra Venezia, Milano e Firenze che avrebbe dovuto garantire (specie dopo l'ulteriore adesione del Papa) venticinque anni di pace all'intera penisola, Lorenzo de' Medici compí il progetto di festeggiare l'evento e renderlo piú solenne allestendo una giostra da corrersi proprio a Firenze col contributo, in uomini e cavalli, dei nuovi alleati milanesi. Il 29 gennaio 1475 dodici giostranti scesero in campo sulla piazza di Santa Croce per disputarsi il primo onore, anche se l'esito appariva verosimilmente scontato. Sei anni prima analoga occasione si era presentata al Magnifico, la cui vittoria al torneo aveva contribuito al consolidamento di quel prestigio personale che, morto Piero il Gottoso, gli aveva facilitato la successione di fatto nella guida dello stato. Toccava stavolta all'aitante fratello minore, Giuliano, rendersi degno del potere davanti agli occhi di tutti, e il ragazzo, non ancora ventiduenne, non tradì le aspettative sbaragliando ogni avversario.

Se il trionfo di Lorenzo era stato cantato dal poeta piú alla moda nella Firenze degli anni Sessanta, vale a dire Luigi Pulci, ad assumersi il compito di celebrare sullo stesso metro dell'ottava rima l'impresa di Giuliano era ora l'astro nascente dell'umanesimo toscano, quell' «homericus adulescens», entrato di recente in casa del Magnifico, che dal borgo natio avrebbe ritratto il nome di Poliziano.

Il poemetto ch'egli condusse avanti per centosettantuno stanze però non giunse mai al termine. Già la prematura scomparsa della bella dama, Simonetta Cattaneo Vespucci, in nome e ad onore della quale il vincitore aveva combattuto dovette fargli nascere qualche dubbio circa l'opportunità di proseguire nella stesura. La tragica fine di Giuliano stesso, trucidato dai pugnali dei congiurati nell'aprile del '78, lo convinse una volta per tutte a lasciare quell'abbozzo nel cassetto, almeno finché un oscuro ammiratore, Alessandro Sarti, non venne a riscattarlo dall'oblio facendolo stampare a Bologna – insieme con l'Orfeo e con due liriche in volgare – appena un mese prima della morte dell'ormai insigne filologo.

In verità non è mancato chi – mi riferisco a Warman Welliver – ha sostenuto che l'operetta sia compiuta cosí, con una *sbilenca partizione fra il primo libro (125 ottave) e il secondo (46 ottave), che s'interrompe proprio mentre Giuliano, poeticamente Iulio, sembra approntarsi ad entrare in campo; ma, a prescindere da ogni altra considerazione, l'ipotesi mostra di non tener nel debito conto la protasi del poemetto, in cui Poliziano dichiara espressamente di accingersi a celebrare «le gloriose pompe e i fieri ludi» svoltisi a Firenze in tale circostanza. Finora, peraltro, agli interpreti l'*incipit è parso strutturato su una dittologia quasi sinonimica («le feste e i giuochi ...»): occorrerà prendere atto invece che il sostantivo *pompe ha qui, come nel Poliziano latino, valore di termine tecnico ad indicare un corteo (plurale per il singolare) e allude alla sfilata, precedente la gara vera e propria, durante la quale ciascun cavaliere si presentava al pubblico coronato da uno sfarzoso seguito. Le coeve descrizioni di simili giostre si mantenevano difatti piuttosto fedeli al reale svolgimento dello spettacolo ed erano, quindi, generalmente congegnate – compreso l'immediato antecedente pulciano – su di uno schema che prevedeva prima la rassegna dei giostranti poi il resoconto dei singoli duelli. La corretta interpretazione dell'*incipit delle *Stanze consente insomma una sorta di recupero del programma di Poliziano, il quale si proponeva evidentemente di non allontanarsi dalla tradizione e di far posto a sua volta, giunto che fosse a parlare della giornata del torneo, alla descrizione del solenne corteo («le gloriose pompe»), cui avrebbe dovuto seguire la narrazione dei «fieri ludi».*

Che la scena del combattimento facesse parte del piano originario è confermato da un brano della Sylva in Scabiem *(vv. 248-61) nel quale il poeta, ancor lungi dall'aver abbandonato il progetto, si proclamava cantore delle gesta erotico-marziali del suo «Iulius», vantando di averlo immortalato appunto nell'atto di trionfare, armi in pugno, sugli altri contendenti. Senza tale apoteosi del resto l'intero impianto ideologico del poemetto – storia dell'anima di Iulio e insieme trasfigurazione della sua iniziazione alla virilità – non avrebbe avuto alcun senso.*

La raffinata cultura di Poliziano lo portava a svolgere il tema della giostra in maniera più profonda e assai meno diretta rispetto a Pulci, inquadrando l'episodio entro un fitto reticolo mitologico ed allegorico. Imbattutosi nella sublime bellezza di Simonetta, il brutale seguace di Diana – come Iulio ci appare all'esordio – subisce una brusca evoluzione. L'improvvisa ap-

parizione della giovinetta (I 37-55) costituisce il punto cruciale del primo libro, segnando l'inizio del repentino ingentilimento di Iulio e rivolgendogli l'animo ad altra passione che non a quella per la caccia e per i beni materiali culminata nell'inseguimento della cerva (I 34-37).

Per comprendere appieno la reazione del personaggio polizianèo bisogna tornare al clima e al gusto di quegli anni, a quanto aveva scritto, ad esempio, Marsilio Ficino nel Sopra lo amore *II 7: «Venere è di due ragioni: una è quella intelligenzia la quale nella Mente Angelica ponemmo, l'altra è la forza del generare, all'Anima del Mondo attribuita. L'una e l'altra ha lo Amore simile a sé compagno: perché la prima per Amor naturale a considerare la bellezza di Dio è rapita, la seconda è rapita, ancora per il suo Amore, a creare la divina bellezza ne' corpi mondani. La prima abbraccia prima in sé lo splendore divino, dipoi diffonde questo alla seconda Venere. Questa seconda transfonde nella Materia del Mondo le scintille dallo splendore già ricevuto. Per la presenza di queste scintille, tutti i corpi del mondo, secondo sua capacità, resultano belli. Questa bellezza de' corpi l'animo dell'uomo apprende per gli occhi, e questo animo ha due potenzie in sé: la potenzia del conoscere e la potenzia del generare. Queste due potenzie sono in noi due Venere, le quali da duoi Amori sono accompagnate. Quando la bellezza del corpo umano si rappresenta agli occhi nostri, la nostra mente, la quale è in noi la prima Venere, ha in reverenza e in amore la detta bellezza come immagine dell'ornamento divino, e per questa a quello spesse volte si desta. Oltre a questo la potenza del generare, che è Venere in noi seconda, appetisce di generare una forma a questa simile. Adunque in amendue queste potenzie è lo Amore: il quale nella prima è desiderio di contemplare, nella seconda è desiderio di generare bellezza».*

La vista di Simonetta desta dunque nell'animo di Iulio un duplice appetito virile: di contemplare attraverso quella terrena la bellezza superna e di generare a sua volta bellezza nei corpi terreni. Perciò, narrato l'incontro con quella Venere terrena che è Simonetta, il resto del primo libro consiste in una particolareggiata visione – lo ha illustrato Mario Martelli – del regno di Venere Urania. Tuttavia a Iulio resta ora da superare la prova piú difficile, perché l'immagine della bellezza suscita nell'animo, come spiegherà Pico della Mirandola nel commento alla

canzone d'amore di Girolamo Benivieni, due sentimenti con-
trastanti «de' quali l'uno è bestiale e l'altro umano» (II 8). Per
dimostrare la sua nobiltà e il suo valore occorre che Iulio sog-
gioghi l'ardore sensuale e conquisti piena coscienza del fatto che
la fuggevole bellezza terrena non è altro se non il riflesso di quella
celeste, sí da raggiungere l'appagamento tutto spirituale e genti-
lissimo dell'amore casto e contemplativo. Questo il senso pro-
fondo assegnato da Poliziano alla giostra combattuta e vinta in
onore di Simonetta.

La chiave per penetrare il significato delle Stanze *risiede, a*
mio avviso, nel sogno fatto verso la fine del secondo libro dal
protagonista, cui appare la petrarchesca visione di Amore vinto
e reso prigioniero da Simonetta, nelle vesti di una Minerva guer-
riera. Questi lo invita ad ispirarsi alla Gloria per armarsi ed in-
tervenire in sua difesa, e infatti la Gloria medesima, dopo che
Iulio ha rivolto lo sguardo verso di lei, scende dall'alto a spo-
gliare la donna delle armi di Minerva per rivestirne il rampollo
mediceo. Ma ecco che il cielo si annera ed un terremoto scuote
la terra in segno della imminente morte della giovane, la quale
risorge tuttavia con le sembianze della Fortuna per guidarlo al
conseguimento della fama eterna. A questo punto Iulio si sve-
glia e, sentendosi ardere dal desiderio di scendere in campo, in-
voca Amore, Minerva e la Gloria affinché lo conducano alla
vittoria.

Piú non leggiamo avanti, giacché la penna di Poliziano si è
fermata qui. L'ultimo verso ch'egli scrisse, in cui Iulio promet-
te di giostrare come campione delle suddette divinità («ch'io por-
terò di voi nel campo insegna»), anticipa comunque ciò che con
ogni probabilità avrebbe dovuto costituire l'acme della descri-
zione della sfilata. Il giorno del torneo il vessillifero di Giulia-
no portava effettivamente uno stendardo – dipinto, a quanto
sembra, da Sandro Botticelli – che raffigurava Cupido, Miner-
va e la Gloria in forma di sole o di fiamma. Ce ne parlano sia
*Naldo Naldi nell'*Hastiludium *(vv. 241-56), un lungo compo-*
nimento in esametri dedicato anch'esso al trionfo di Giuliano,
sia Giovanni Aurelio Augurelli in uno degli epigrammi indiriz-
*zati per l'occasione a Bernardo Bembo (*In signis quare Medici sit, Bembe, requiris*), allora ambasciatore veneto a Firenze.*
Con maggior dovizia di particolari ne dà conto però un anoni-
mo cronista dell'epoca (ms. II IV 324 della Bibl. Naz. Centr.

*di Firenze, c. 122 v): «nella sonmità era un sole et nel meço
di questo stendardo era una figura grande simigliata a Pallas,
vestita d'una veste d'oro fine infino a meço le gambe, et disocto
una veste bianca onbreggiata d'oro macinato et uno paio di
stivaletti açurri in gamba; la quale teneva i pie' in su due fiamme di fuocho, et delle decte fiamme usciva fiamme che ardevano rami d'ulivo che erano dal meço in giú dello stendardo, che
dal meço in su erano rami sença fuocho. Haveva in capo una
celata brunita all'anticha e' suoi capelli tucti atrecciati che ven-
tolavano, teneva decta Pallas nella mano diricta una lancia da
giostra et nella mano mancha lo scudo di Medusa; et apresso
a decta figura un prato adorno di fiori di varij colori che n'usciva uno ceppo d'ulivo con uno ramo grande, al quale era legato
uno dio d'amore cum le mani dirieto cum cordoni d'oro, et a'
piedi aveva archo, turcasso et saecte rotte. Era conmesso sul ramo d'ulivo, dove stava legato lo dio d'amore, uno brieve di lec-
tere alla françese d'oro che dicevano "la sans par". La sopradecta
Pallas guardava fisamente nel sole ch'era sopra a·llei».*

La scena, ispirata ad alcuni versi di Petrarca (Triumphus Pu-
dicitie *118-25 e 133-35*), è pressappoco la stessa del sogno di
Iulio nelle Stanze, *in cui sarà da leggere la personale interpretazione data da Poliziano dell'insegna di Giuliano. Il citato epi-
gramma dell'Augurelli si chiudeva difatti accennando ai molti
che cercavano di decifrarla, proponendo ora l'una ora l'altra so-
luzione: cosa, questa, che gli sembrava piú bella delle stesse immagini ivi dipinte («multi multa ferunt, eadem sententia nulli
est: / pulchrius est pictis istud imaginibus»).*

L'autorevole spiegazione polizianèa della compresenza delle
tre figure nello stendardo faceva leva sul sublimarsi della passione di Iulio per Simonetta: «soggiogata alla teda legittima» (I
51 4), ossia regolarmente maritata ad un membro dell'entoura-
ge mediceo qual era Marco Vespucci. Nelle Stanze *la Gloria
interviene a trasferire da questa a quello, con le armi della casta Minerva, la capacità di sottomettere l'impeto dell'Eros terreno considerata propria dell'individuo razionale e nobile di
cuore. Iulio in altre parole, innamoratosi di Simonetta, doveva
ancora vincere la propria concupiscenza per guadagnarsi il diritto a giostrare in suo onore e la possibilità di acquistare cosí eterna
gloria. Non a caso a pregare Pasitea perché tramite il Sonno,
suo sposo, inducesse Iulio a scendere in campo era la Venere*

Urania (II 22-23), *da cui muove il desiderio di contemplare la bellezza quale specchio della perfezione divina. Non occorre insistere allora sulla necessità di ricorrere alla saggia dea partorita dal cranio di Giove, quella Minerva che il motto inscritto nel cartiglio raffigurato sullo stendardo definiva «la sans par». È il caso di soffermarsi piuttosto sulla duplice natura di Amore: quello legato e vinto da Pallade non è lo stesso cui Iulio chiede soccorso e che svolazzava intorno a Venere Urania, secondo che Poliziano viene a sottolineare con mossa virgiliana nel racconto del sogno (II 29 1-2 «Ahimè, quanto era mutato da quello / Amor che mo' tornò tutto gioioso»). Non si supera quella che potrebbe sembrare una contraddizione insanabile – che Iulio giostri contemporaneamente sotto il segno di Pallade e di Amore – se non si tiene ancora una volta presente lo sdoppiamento ficiniano di Eros: sacro furore che, in quanto figlio di Venere Urania, muove alla contemplazione, e al tempo stesso cieco errore prodotto dalla Venere terrena, che facendo aggio sull'istinto spinge alla voluttà ed al possesso. Adescato, Iulio potrà far sí che l'una indole prevalga sull'altra soltanto dopo essersi coperto delle armi di Minerva. Ma se l'aiuto di quest'ultima e dell'Amore celeste era indispensabile al compimento dell'impresa, l'apporto del desiderio di Gloria – rappresentato dalla fiamma che arde i rami di olivo, sacro a Minerva e simbolo di Giuliano – era altrettanto determinante, quale sprone verso una progressiva umanizzazione e verso la vittoria finale. La giostra stessa – combattuta quale campione di una dama fatta segno di onestissima devozione – veniva a configurarsi in tale cornice come iniziazione alle raffinatezze dell'amore spirituale e insieme all'arte militare, sicché Giuliano da imberbe adolescente assurgeva a modello del perfetto gentiluomo: al pari del fratello, fattosi «di virtute a tutti essemplo» (II 6 7) proprio al momento di trionfare in analoga gara.*

La concezione neoplatonica dell'amore si accordava nella fattispecie col rilancio della poesia stilnovistica operato dal Magnifico, anche in prima persona, e con la diretta esperienza, che Poliziano andava compiendo proprio allora, di compilatore o di principale collaboratore nell'ordinamento della cosiddetta Raccolta Aragonese, che a tale produzione faceva ampio spazio. Accanto alle insistite riprese dai classici – Virgilio e Ovidio sopra tutti, ma anche Claudiano, Stazio lirico, gli elegiaci,

Esiodo ed i bucolici greci – corre parallelo nelle Stanze *il costante riecheggiamento di Petrarca e della* Commedia *dantesca: sfondo sul quale si stagliano di sovente anche calchi evidenti dal Boccaccio canterino e dalle liriche di Guinizzelli, Cavalcanti e Dante stesso. Certo la vena di Poliziano si distingue, nel panorama della poesia volgare di quegli anni, come quella di chi anzitutto aveva religiosamente compulsato i volumi degli antichi ed aveva tradotto a lungo Omero, trasportando di peso nella versione dell'*Iliade *clausole ed emistichi virgiliani che sarebbero ricomparsi, mutata la veste linguistica, in alcuni versi delle* Stanze. *Ciò nondimeno non gli mancavano letture di testi moderni, sia latini che volgari. Se la* Xandra *del suo vecchio maestro Cristoforo Landino parrebbe aver lasciato una flebile eco in qualche luogo del poemetto, sicura vi si avverte a volte la presenza dei fratelli Pulci e in particolare di Luigi, che nel* Morgante *gli avrebbe dichiarato la propria amicizia e la riconoscenza per l'aiuto prestatogli. Ad esempio, nel caso di I 47 1-3 («Ell'era assisa sovra la verdura, / allegra, e ghirlandetta avea contesta / di quanti fior' creasse mai natura») l'immagine di Simonetta, oltre che rinviare alla Matelda dantesca ed alla Emilia del* Teseida *boccacciano, evoca nella memoria la figura della Proserpina pulciana (*Morg. *XIV 85 6-8 «E la fanciulla bella e peregrina / vedevasi di rose e vïolette / contesser vaghe e gentil' ghirlandette»), tanto piú che al medesimo personaggio riconducono calchi limitrofi da Ovidio e da Claudiano. Cosí a I 50 2-4 («Volta la ninfa al suon delle parole / lampeggiò d'un sí dolce e vago riso, / che i monti avre' fatto ir, restare il sole, / che ben parve s'aprissi un paradiso») alcuni versi della* Giostra, *che Poliziano non poteva ignorare (9 1-3 «E messegliela in testa con un riso, / con parole modeste e sí soave / che si potea vedere il paradiso»), saranno stati tramite al piú preciso ricordo di* Morg. *XVI 12 1-4 («E volsesi a Orlando con un riso, / con un atto benigno e con parole / che si vedeva aperto il paradiso»).*

*I raffronti potrebbero moltiplicarsi. Aggiungo soltanto, quanto al fratello maggiore di Luigi, che a I 115 7-8 la figura di Polifemo – il quale «tutto di pianto e dolor macero, / siede in un freddo sasso a pie' di un acero» – rivela come alla sfocata reminiscenza ovidiana (*Met. *XIII 780 «Huc ferus adscendit Cyclops mediusque resedit») si sovrapponesse il palese adattamento di ciò che il medesimo ciclope diceva in una delle* Pístole *com-*

poste una decina d'anni prima da Luca Pulci (VIII 13-15 «L'o-
mero ch'i' percossi tutto è macero / e duolmi ancora, e spesso
mi divincolo / per riposarmi ove fa ombra uno acero»).

Nonostante l'atmosfera trasognata e fantastica che la critica
ha spesso ritenuto di scorgervi, la poesia delle Stanze *veniva for-*
mandosi proprio mediante l'intarsio di innumerevoli quanto con-
crete ascendenze culturali, riplasmate e talora addirittura stravolte
rispetto ai contenuti originali. Anche qui, difatti, Poliziano si
manteneva fedele ad un concetto di imitazione intesa come ori-
ginale reinterpretazione – non pedissequa appropriazione – teo-
rizzato esplicitamente nella polemica epistolare con l'ortodosso
ciceroniano Paolo Cortesi. Su tale metodo combinatorio fon-
dava la raffinata testura stilistica dell'incompiuto poemetto,
orientando la stessa selezione linguistica verso il latinismo, quasi
mai raro, o la voce di tradizione volgare spesso aulica e ricerca-
ta (come nel caso del lessico dantesco attinto in sede di rima:
bobolce, brolo, punga, ecc.). Era insomma quello delle Stanze, *per piú aspetti, il tentativo di dare all'epica italiana, sia pur*
sullo scenario municipale, uno stile alto, che avrebbe raggiunto
con Ariosto e Tasso, variamente debitori entrambi al testo di
Poliziano: talché, mentre l'uno lo riecheggiava in diversi brani
del Furioso, *l'altro non si peritava ad esempio di trasferire in*
blocco l'incipit «le gloriose pompe e' feri ludi» – rimato an-
che qui con «crudi» e «onorati studi» – al v. 110 del poemet-
to araldico su casa Gonzaga.

Se per la composizione delle Stanze *i termini cronologici so-*
no ristretti con certezza entro il triennio 1475-78, piú comples-
*sa è la questione relativa alla datazione dell'*Orfeo. *Dopo i*
pronunciamenti del Bettinelli (per il 1472) e di Isidoro Del Lungo
(per il 1471), notevole fortuna ha avuto la proposta di Picotti
di assegnarlo al 1480. Di recente tuttavia Antonia Tissoni Ben-
venuti ha dimostrato che all'epoca del soggiorno mantovano del
poeta, nell'80 appunto, la corte dei Gonzaga, cui l'operina sem-
bra fosse destinata, si trovava nella condizione di non poterla
rappresentare per il lutto in cui l'aveva piombata la morte della
Margherita, consorte del marchese Federico e cognata del cardi-
nale Francesco. Non è accertato d'altronde che la stesura, lega-
ta ad un'occasione festiva e conviviale, si verificasse proprio a
Mantova – come vorrebbe la testimonianza del Sarzio, presu-

mibilmente fondata su di un'arbitraria interpretazione della lettera prefatoria indirizzata da Poliziano al cortigiano gonzaghesco Carlo Canale. L'unico dato sicuro è che il cardinal Gonzaga, ricordato nella medesima lettera al Canale quale committente in prima persona della pièce, morí *il 21 ottobre 1483: data che dovrà quindi ritenersi – d'accordo con la prudente constatazione cui si erano arrestati Tiraboschi e Carducci – termine* ante quem *per la stesura della* Fabula.

*Poiché un nuovo periodo di lutto iniziò, a Mantova, il 7 novembre 1481 con la scomparsa di Barbara di Brandeburgo, madre del marchese e del cardinale, è tuttavia abbastanza improbabile che la composizione dell'*Orfeo *possa aver superato la soglia degli anni Ottanta. Ragioni politiche inducono a considerare altrettanto difficile che Poliziano potesse accingervisi nei due anni successivi alla congiura dei Pazzi (26 aprile 1478), quando anche il «Cardinale Mantuano» era visto a Firenze come un nemico dello stato mediceo; sicché è ragionevole supporre che la genesi dell'*Orfeo *vada spostata piú indietro e sia pressappoco contemporanea a quella delle* Stanze.

*Oltre che da numerose affinità di stile e di lingua, i due testi sono accomunati dalla rivitalizzazione della mitologia, applicata nell'*Orfeo *alla figura dell'antico cantore. Inquadrata nel genere cortigiano della favola teatrale, la leggenda diviene, sul piano meramente letterale, il racconto dei tragici effetti di uno sfrenato amore verso il sesso muliebre. Orfeo, sceso all'inferno per riscattare l'amata Euridice, non è capace di moderare il proprio ardore e rompe il patto, voltandosi a guardarla lungo la strada del ritorno sulla terra; di conseguenza, perduta per sempre la sposa, si converte all'amore efebico (vv. 268-72) provocando cosí l'ira delle Baccanti, che nel finale lo squarteranno. Questa, in sintesi, la trama cui fa da lungo prologo l'episodio pastorale incentrato sul personaggio di Aristeo – lo spasimante che inseguendo Euridice ne causerà la morte – e fondato, oltre che su suggestioni calpurniane, sull'esperienza metrica della bucolica volgare (il polimetro di Giusto, dell'Alberti, dell'Arzochi e di Filenio Gallo).*

I caratteri carnevaleschi della Fabula *sono stati illustrati da una studiosa del teatro quattrocentesco: Cynthia Munro Pyle. Particolarmente notevole, sotto questo aspetto, è che essa si chiuda con un canto carnascialesco in piena regola. Alle osservazio-*

ni della Pyle è da aggiungere che la poesia conserva in filigrana quel doppio senso osceno di marca boccaccesca che era tratto costitutivo del genere. Lo stesso attacco «Chi vuol bevere, chi vuol bevere / venga a bevere, venga qui!» si rifà ad analoghi ed equivoci richiami carnascialeschi (basti citare, fra gli altri, l'inizio del canto «Chi vuol di voi giucare agli aliossi / venga, che noi siàno parati e mossi»). Espressioni quali «Voi imbottate come pevere» e poi «i' vo' bever ancor mi!» non possono non alludere, inoltre, seguendo la suggestione del boccacciano «Monna Simona imbotta imbotta» (Dec. V concl.), ad una ebbrezza tutta sensuale. Per il pubblico dell'epoca non doveva essere troppo difficile comprendere cosa si celasse dietro l'atto del mettere il vino dentro la botte attraverso l'imbuto (pevera), tanto è vero che l'accenno sarebbe stato raccolto ancora un paio di secoli piú tardi, in ambito linguaiolo, nella Tina *di Antonio Malatesti (XIX 1-8 «I' are' bisogno, Tina, or che s'imbotta / questo poco di vin che s'è raccolto, / perché 'l mio peverin m'è stato tolto, / oggi della tua pevera a buon'otta. / Ma i' sento dir ch'ell'è sí mal condotta / ch'ella non ne ritien poco né molto: / i' vorrei ben saper chi è quello stolto / che con sí poca grazia te l'ha rotta»).*

*Tale aspetto del coro finale sembra sia sfuggito anche ai piú accorti lettori dell'*Orfeo. *Eppure il verso «gli è del vino ancor per ti» trova un preciso quanto significativo riscontro in altri della ballata polizianesca* Canti ognun, ch'i' canterò, *su schema metrico prossimo a quello del coro delle Baccanti, ove la metafora del vino è impegnata per adombrare un accenno al piacere sessuale (11-12 «Pur sollecito, pur buchero / per aver del vino un saggio»), e in un piú lungo brano dell'altra che inizia* I' son, dama, el porcellino, *in cui lo stesso Poliziano analogamente scriveva (17-26):*

> Orsú, diànla pe' vïottoli
> a cercar d'un'altra dama,
> perché un oste è che mi chiama,
> ch'ancor lui mesce buon vino.
>   Del tuo vino i' non vo' bere,
> va', ripon la metadella,
> perché all'orlo del bicchiere
> sempre freghi la biondella.

*Se con il vino si alludeva appunto a questo tipo di voluttà,
logico allora che l'atto del bere evocasse l'idea del coito, e che
anche uno strumento tradizionalmente in dote alle Baccanti quale il corno («Io ho voto già il mio corno») offrisse il destro ad
estendere la rete dei doppi sensi giusta la metafora fallica reperi-
bile, ancora una volta, nel codice boccaccesco (Dec. II 7 «non
avendo mai davanti saputo con che corno gli uomini cozzano»),
denotando cosí l'insaziabile brama che spingeva le seguaci di
Dioniso a soddisfare piú amanti. Il fondersi dei modi carnascialeschi col modello classico del Baccanale determina insomma
nel coro una situazione a doppia chiave di lettura: i festeggiamenti per la compiuta vendetta si snodano su una serie di spun-
ti osceni che la gestualità delle stesse Baccanti avrà forse
contribuito a render piú espliciti. Le lascive celebrano cosí un
perfetto rito orgiastico intonato ai clamori ed agli eccessi del
carnevale, e necessario al tempo stesso al poeta per sdrammatiz-
zare il finale allentando la tensione accumulatasi nelle scene precedenti.*

*La constatazione di questo fondo equivoco non autorizza,
comunque, a proiettarne l'ombra a ritroso dal finale sull'intera
favola, forzando il significato del testo in termini banalmente
erotici. Anch'io, come Bigi, non sono convinto infatti che esso
vada letto quale esaltazione dell'amore efebico contrapposto a
quello eterosessuale: il tema dell'omosessualità – che, come ha
visto per primo Dionisotti, avvicina tra l'altro Poliziano a Leonardo – non è piú che un nodo, sia pur importante, dell'intrec-
cio ereditato dalle fonti classiche. E d'altronde lo stesso elogio
umanistico della potenza (o viceversa dello scacco) della melodia poetica personificata nel protagonista sembra restare nella
fattispecie un motivo del tutto marginale. Tenuto conto del fatto che l'operina fu composta – per dichiarazione dell'autore –
«a requisizione del nostro reverendissimo Cardinale Mantuano»,
sono invece propenso ad una lettura in chiave morale, ispirata
all'interpretazione neoplatonica del mito di Orfeo agl'inferi giusta
il precedente di Boezio, nel carme finale del terzo libro della
Consolazione, che vi leggeva il monito a non distogliere lo sguardo dalla contemplazione delle cose celesti (vv. 52-58).*

*L'orfismo era venuto in auge soprattutto per opera di Ficino,
che aveva tradotto in latino i suggestivi inni attribuiti allora al
pastore tracio; e non a caso Poliziano (nell'elegia diretta a Bar-*

tolomeo della Fonte e nella coronide dei primi Miscellanea*)
paragonava l'amico filosofo al medesimo Orfeo per aver richiamato in vita, anziché Euridice, la defunta sapienza di Platone
e dei suoi epigoni.* Il revival *della figura di Orfeo aveva reso
di conseguenza automatico l'ingresso della sua impresa oltremon-
dana nella vasta costellazione di miti pagani soggetti ad una ri-
lettura in senso cristiano. Scriveva, ad esempio, Lorenzo de'
Medici nell'introduzione al* Comento de' *suoi sonetti:* «Ed
arebbe Orfeo tratto Euridice dell'inferno e condottola tra quegli che vivono, se non fussi rivoltosi verso l'inferno: che si può
interpretare Orfeo non essere veramente morto, e per questo non
essere aggiunto alla perfezione della felicità sua di avere la sua
cara Euridice».

Nel cenacolo dei Platonici, costituitosi all'interno della cerchia laurenziana, l'ermeneutica del mito verteva anzitutto su
questo punto. Anche Pico della Mirandola, commentando la
canzone d'amore di Girolamo Benivieni, vi avrebbe insistito.
Orfeo in quell'occasione non aveva saputo dimenticare la vita
del corpo, con i suoi desideri inappagabili, e rivolgersi tutto alla
pura contemplazione ed alla salute dello spirito: perciò aveva
perso in eterno la possibilità di godere di quella suprema perfezione che Euridice, nella sua bella veste corporea, rispecchiava.
Visto sotto questa luce, il personaggio femminile rivela del resto, come Simonetta, la sua irriducibile duplicità di oggetto del-
l'appetito sensibile e insieme di testimone o messo dell'amore
divino.*

*Contrariamente a quel che si potrebbe pensare, tale interpre-
tazione si mostra in perfetto accordo con gli aspetti carnevaleschi della favola. Orfeo, volgendosi verso Euridice, manifesta
il suo invincibile attaccamento alla carne, cui non è capace di
dire quel* vale *che la donna per contro, facendosi portavoce di
un più alto giudizio, pronuncerà in un momento di particolare
intensità della* Fabula *(v. 250* «Orfeo mie, vale!»*). Anziché dar
lui l'addio al mondo, come un eroe della fede, è il mondo stesso dunque che lo saluta per entrar nel buio della morte; e dandosi all'amore efebico egli non fa che confermare la sua ottusa
inclinazione verso la bellezza terrena. La vicenda si rivela allora, una volta intesa in questi termini,* exemplum *negativo ap-
propriatissimo al giorno del distacco dalla vita della carne e del
trapasso verso la Quaresima: con intento pedagogico nient'af-*

fatto peregrino se complementare a quello di Dante, il quale sulla soglia del purgatorio, mirando a distinguersi proprio dal precedente di Orfeo, aveva strenuamente osservato il monito dell'angelo guardiano a non voltarsi indietro, assurgendo cosí una volta di piú a modello di cristiana rettitudine. La scena delle Baccanti che fanno in brani il corpo di Orfeo potrebbe interpretarsi dunque anche come definitivo, generale abbandono agli eccessi della carne, nonché avvio dei festeggiamenti veri e propri per il Carnevale; sicché diverrebbe piú comprensibile lo stesso doppio senso osceno del finale, in cui le donne – dopo aver dato morte al protagonista – si prendono una ulteriore rivincita lasciandosi andare ad uno spinto vanto erotico che culmina nel calar del sipario.

Tale sorta di produzione era davvero congeniale al Poliziano degli anni anteriori alla nomina a professore nello Studio. Rispetto alle Stanze *peraltro il genere della favola teatrale, vista la congenita brevità, gli consentiva di affidarsi senza remore a quella poetica dell'ispirazione «subito calore» – ammirata nei versi delle* Silvae *staziane – che considerava la piú efficace e che ben si accordava col progetto di dar vita sulla scena al personaggio del mitico cantore. La stessa prefatoria al* Canale, *avvertendo – sul modello della dedicatoria del primo libro della raccolta di Stazio – della occasionalità e della rapidità della stesura, intendeva in realtà rivendicare «l'autenticità dell'ispirazione e l'importanza dell'opera, non scusarne la casualità e i difetti dovuti alla fretta» (secondo che ha convincentemente sostenuto la Tissoni Benvenuti). In virtú di questo slancio creativo, appunto, nello spazio di soli «dua giorni», era nato uno dei prototipi del melodramma: il cui prestigio avrebbe contribuito nei secoli successivi – mutati gli esiti della trama in un piú compiacente lieto fine – al favore goduto dal soggetto di* Orfeo ed Euridice *nel teatro musicale italiano, fino ai fasti europei del libretto di Calzabigi per l'azione teatrale musicata da Gluck.*

NOTA BIOGRAFICA

1454 Il 14 luglio, a Montepulciano, nasce Angelo di Benedetto Ambrogini, che dal nome latino del borgo, non lontano da Siena, verrà poi detto il Poliziano. Della madre Antonia poco si sa oltre il fatto ch'era dei Salimbeni.

1464 Il padre, dottore in legge e mercante legato ai Medici, all'epoca gonfaloniere di Montepulciano, viene assassinato dai parenti di un imputato che aveva fatto condannare.

1469 Angelo è a Firenze – non sappiamo a partire da quando – presso il cugino Cino di Matteo Ambrogini. La protezione dei Medici e la frequentazione di maestri come Giovanni Argiropulo e Andronico Callisto gli consentiranno di ampliare ed approfondire mirabilmente la sua conoscenza del mondo antico ed in particolare della lingua greca. In questo periodo, o poco dopo, segue anche i corsi di Cristoforo Landino e le esposizioni platoniche di Marsilio Ficino.

1473 La continuazione, intrapresa da qualche tempo, della versione in esametri dell'*Iliade* (lasciata interrotta da Carlo Marsuppini alla fine del primo libro), gli fornisce le credenziali di poeta ed erudito tanto precoce quanto brillante. Lorenzo, cui dedica il secondo ed il terzo libro, gli apre le porte di casa Medici. Angelo ha cosí la possibilità di studiare, nella biblioteca privata del Magnifico, i preziosi codici che la famiglia aveva accumulato negli anni.

1475 Il 29 gennaio ha luogo sulla piazza di S. Croce la giostra vinta da Giuliano de' Medici, che Angelo inizia a celebrare in ottave. È "cancelliere", ovvero segretario privato, di Lorenzo. Nel medesimo tempo gli viene affidato l'incarico di precettore del primogenito del Magnifico, il piccolo Piero, allora in età di tre anni. Segue i corsi di Demetrio Calcondila nello Studio.

1476 Partecipa con l'epicedio *Dum pulchra effertur nigro Symonetta pheretro* al compianto generale per la morte, avvenuta nella notte tra il 6 e il 27 aprile, della giovanissima Simonetta Cattaneo, la sposa di Marco Vespucci e dama di Giuliano de' Medici, la stessa cui aveva affidato una parte di primo piano nella trama delle *Stanze*. Riveste un ruolo vicino a quello di arbitro nella tenzone in sonetti tra Matteo Franco e Luigi Pulci.

1477 Sebbene laico, ottiene – per intercessione di Giuliano e poi di Lorenzo – la priorìa di S. Paolo.

1478 Il 26 aprile assiste in duomo all'uccisione di Giuliano ed al ferimento di Lorenzo da parte dei congiurati. Scrive quasi di getto il *Coniurationis commentarium*, che pubblica a Firenze presso Niccolò di Lorenzo della Magna. Si ritira con Clarice Orsini, moglie del Magnifico, e con i suoi due figlioletti prima nella villa di Cafaggiolo poi, mentre a Firenze infuria la peste, a Pistoia; infine a Fiesole ed ancora a Cafaggiolo.

1479 Cura l'educazione anche del secondogenito Giovanni, futuro cardinale e papa Leone X. In primavera si verifica una rottura con i Medici ed in particolare con madonna Clarice, in merito forse all'educazione dei bambini. Parte per Careggi; poi si trasferisce a Fiesole, dove traduce l'*Enchiridion* di Epitteto, che sarà oggetto della polemica epistolare con Bartolomeo Scala.

1480 Viaggio a Venezia, Padova, Verona e Mantova. È del 21 aprile la nomina a cappellano e commensale perpetuo del cardinale Francesco Gonzaga. Non molto tempo dopo è di nuovo a Firenze, dove viene nominato (con assunzione datata 29 maggio) professore di poetica e retorica nello Studio. Abita presso la prioria di S. Paolo. Nel novembre assume l'incarico esordendo col corso sulle *Institutiones* di Quintiliano e sulle *Silvae* di Stazio.

1482 Esce a Firenze la selva *Manto* per i tipi di Antonio Miscomini, che pubblicherà in seguito anche le altre.

1483 Gli muore il fratello Desiderio. Pubblica la selva *Rusticus*.

1484 Fa parte dell'ambasceria fiorentina a Roma per l'elezione di Innocenzo VIII.

1485 Pubblica la selva *Ambra*.

1486 Non sappiamo in che data avesse preso i voti, ma in questo anno è nominato canonico della Chiesa Metropolitana.

1488 Fa parte del seguito di Piero al matrimonio di quest'ultimo con Alfonsina Orsini.

1489 Pubblica a Firenze, presso Antonio Miscomini, la *Miscellaneorum centuria prima*. Inizia la polemica con Michele Marullo.

1491 Pubblica la selva *Nutricia*. Viaggio a Bologna, Ferrara, Padova e Venezia in compagnia di Giovanni Pico della Mirandola, col compito di acquistare codici per la biblioteca medicea. A Venezia collaziona il famoso manoscritto bembino delle commedie di Terenzio con l'aiuto del giovane Pietro Bembo.

1490 Inizia a leggere Aristotele nello Studio.

1491 Ripubblica a Bologna, presso Platone delli Beneditti, le *Sylvae* intitolate *Manto* e *Nutricia*.

1492 Sempre a Bologna e per il medesimo stampatore ripubblica le *Sylvae* intitolate *Rusticus* e *Ambra*, poi dà alle stampe anche l'*Epistola de obitu Laurentii Medicis* e le traduzioni da Atanasio e da Erodiano.

1493 Tenta di farsi nominare cardinale con l'appoggio di Piero de' Medici.

1494   Escono ancora a Bologna, per i tipi dello stesso Beneditti, le *Cose
        vulgare (Stanze, Orfeo* e due rime) a cura di Alessandro Sarti. Muo-
        re a Firenze nella notte tra il 28 e il 29 settembre. -

NOTA BIBLIOGRAFICA

Nell'impossibilità di fornire qui una informazione esaustiva, ci si limita ad indicare le principali edizioni delle opere di Poliziano ed una bibliografia minima in servizio della presente ed., focalizzata perciò sulle *Stanze* e sulla *Fabula di Orfeo*, rinviando per un piú ampio panorama al volume di R. Lo Cascio, P., Palermo 1970; e a B. Maïer, *La critica polizianesca del Novecento*, «La Rassegna della Letteratura Italiana», LVIII (1954), pp. 377-90; D. Del Corno Branca, *Rassegna polizianesca (1967-1971)*, «Lettere Italiane», XXIV (1972), pp. 100-112; A. Bettinzoli, *Rassegna di studi sul Poliziano (1972-86)*, ivi, XXXIX (1987), pp. 53-125; e alla bibliografia in calce alla voce *P.* di E. Bigi nel *Dizionario Critico della Letteratura Italiana* dir. da V. Branca, Torino 1986².

A. *Opere di Poliziano*

Il *corpus* delle opere latine fu raccolto una prima volta nell'ed. aldina del 1498 e poi ampliato nella basileense del 1553, ora riprodotta anastaticamente nel tomo I degli *Opera omnia*, a c. di I. Maïer, Torino 1971, che nei tomi II e III include la ristampa anastatica di alcune epistole e altre opere disperse pubblicate in precedenza da altri studiosi. Non sono comprese le lettere fatte conoscere da A. Perosa, *Lettere del P. al British Museum*, «La Rassegna della Letteratura Italiana», LVIII (1954), pp. 398-408, e Id., *Due lettere inedite di A.P.*, «Italia Medievale e Umanistica», X (1967), pp. 345-74 (in appendice un censimento delle estravaganti, cui va ora aggiunta quella edita da A. Tissoni Benvenuti a p. 61 di *L'Orfeo del P.*, cit. qui sotto).

Le poesie latine, compresi i brani della versione omerica, e quelle greche si leggono in *Prose volgari inedite e poesie latine e greche edite e inedite di A.A.P.*, raccolte e illustrate da I. Del Lungo, Firenze 1867, da integrare con: B. Neri, *Un sermone inedito di A.P.*, Montepulciano 1902; l'elegia a Bartolomeo della Fonte (in B. Fontius, *Carmina*, ediderunt I. Fogel et L. Juhàz, Lipsiae 1932, pp. 24-28); gli epigrammi latini pubblicati da G. Bottiglioni, *La lirica latina in Firenze nella seconda metà del secolo XV*, «Annali della R. Scuola Normale Superiore di Pisa», XXV (1913), pp. 213-14, e da A. Perosa, in *Politianus ludens*, «Studia Oliveriana», II (1954), pp. 1-9 e in *Studi sulla tradizione delle poesie latine del P.*, in AA.VV., *Studi in onore di U.E. Paoli*, Firenze 1956, pp. 539-62; e infine la *Sylva in scabiem*, testo inedito a c. di A. Perosa, Roma 1954. Una scelta con testo a fronte delle liriche latine ha dato L. Gualdo Rosa nella sezione a sua cura dei *Poeti latini del Quattrocento*, Milano-Napoli 1964, pp. 1001-97; per le *Sylvae* si ha anche l'ed. con commento e traduzione del Del Lungo, inclusiva della prolusione prosastica al corso sui *Priora* di Aristotele intitolata *Lamia* (*Le Selve e la Strega*, per c. di I. Del Lungo, Firenze 1925); e le poesie greche si leggono, con traduzione italiana, anche in *Epigrammi greci*, a c. di A. Ardizzoni, Firenze 1951. Per le prose latine, alle edd. citt. sono da accludere quelle, con testo a fronte, dell'*Oratio super Fabio Quintiliano et Statii Sylvis* piú alcune epistole procurate da E. Garin nei suoi *Pro-*

satori latini del Quattrocento, Milano-Napoli 1952, pp. 869-925; e poi *Della congiura dei Pazzi (Coniurationis commentarium)*, a c. di A. PEROSA, Padova 1958; *Miscellaneorum centuria secunda*, per c. di V. BRANCA e M. PASTORE STOCCHI, Firenze 1972 (ed. maior) e 1978 (ed. minor); e *Miscellaneorum centuria prima*, ed. H. Katayama, Tokyo 1982 (estr. da «Relazioni della Facoltà di Lettere dell'Università di Tokyo», VII [1981]).

Ancora aperto è il fascicolo relativo alle edd. di commenti ai classici. Fino ad oggi sono stati pubblicati i seguenti: *Commento inedito all'epistola ovidiana di Saffo a Faone*, a c. di E. LAZZERI, Firenze 1971; *La commedia antica e l'Andria di Terenzio*, appunti inediti a c. di R. LATTANZI ROSELLI, Firenze 1973: G. GARDENAL, *Il P. e Svetonio. Contributo alla storia della filologia umanistica*, Firenze 1975 (su cui occorre vedere peraltro L. CESARINI MARTINELLI, *Il P. e Svetonio. Osservazioni su un recente contributo alla storia della filologia umanistica*, «Rinascimento», N.S., XVI [1976], pp. 111-31); *Commento inedito alle Selve di Stazio*, a c. di L. CESARINI MARTINELLI, Firenze 1978 (da integrare con L. CESARINI MARTINELLI, *Un ritrovamento polizianesco: il fascicolo perduto del commento alle «Selve» di Stazio*, «Rinascimento», N.S., XXII [1982], pp. 183-212); V. FERA, *Una ignota «Expositio Suetoni» del P.*, Messina 1983; M. PASTORE STOCCHI, *Il commento del P. al carme «De rosis»*. in AA.VV., *Miscellanea di studi in onore di V. Branca*, III, Firenze 1983, pp. 397-422; e *Commento inedito alle Satire di Persio*, a c. di L. CESARINI MARTINELLI e R. RICCIARDI, Firenze 1985.

Alcune lettere ed altri scritti in volgare si leggono nell'ed. cit. di *Prose volgari inedite* ecc.; i *Detti piacevoli* sono stati di recente riediti e commentati da T. ZANATO, Roma 1983. Una prima raccolta di poesie italiane, a cura di ALESSANDRO SARTI, si ebbe nel volume di *Cose vulgare* (comprendente le *Stanze*, l'*Orfeo*, il rispetto *Che fai tu, Ecco* e la ballata *Non potrà mai dire Amore*) stampato a Bologna nel 1494 e ristampato anastaticamente nel tomo III dei citt. *Opera omnia* curati dalla Maïer. Per le *Stanze*, in attesa di una vera e propria ed. critica che sostituisca quella, ormai invecchiata, procurata dal Pernicone (vedi sotto, punto C), la piú attendibile e filologicamente sorvegliata è quella allestita da M. MARTELLI, Torino 1979. Per la *Fabula di Orfeo* disponiamo invece, da poco tempo, dell'ed. critica commentata nel volume di A. TISSONI BENVENUTI, *L'Orfeo del P.*, con il testo critico dell'originale e delle successive forme teatrali, Padova 1986; e pure di recente è stato fissato per merito di D. DEL CORNO BRANCA il testo critico delle *Rime*, Firenze 1986.

B. *Strumenti e sussidi*

Per la biografia di P. occorre ancora rifarsi alla pionieristica *Historia vitae et in literis meritorum* di F.O. MENCKEN (Lipsiae 1736) e ai vecchi ma informatissimi studi compresi da I. DEL LUNGO in *Florentia. Uomini e cose del Quattrocento*, Firenze 1897, e da G.B. PICOTTI nelle sue *Ricerche umanistiche*, Firenze 1955. Limitato agli anni della giovinezza e da consultare con qualche cautela è quello di I. MAÏER, *Ange Politien. La formation d'un poète humaniste (1469-1480)*, Gènève 1966. Per un ritratto di P. nell'ambito della cerchia medicea si veda E. GARIN, *L'ambiente del P.*, stampato negli atti del convegno fiorentino del 1954 (*Il P. e il suo tempo*, Firenze 1957, pp. 17-39) e raccolto poi in *La cultura filosofica del Rinascimento italiano*, Firenze 1979³, pp. 335-58.

A tutt'oggi insostituito per la ricchezza e la cura dell'informazione è il catalogo di manoscritti, libri, autografi e documenti compilato in occasione di quel centenario da A. PEROSA (*Mostra del P.*, Firenze 1955). Un catalogo descrittivo dei codici polizianeschi si deve ad I. MAÏER, *Les manuscrits d'Ange Politien*, Genève 1965, da integrare, sul versante volgare, con le indicazioni di: V. PERNICONE, nella intr. all'ed. crit. delle *Stanze* (cit. sotto, punto C) e in *La tradizione manoscritta dell'«Orfeo» del P.*, in AA.VV., *Studi di varia umanità in onore di F. Flora*, Milano 1963, pp. 362-71; G. GORNI, *Novità su testo e tradizione delle «Stanze» di P.*, «Studi di Filologia Italiana», XXXIII (1975), pp. 241-64; D. DEL CORNO BRANCA, *Sulla tradizione delle rime del P.*, Firenze 1979, e ID., *Da P. a Serafino*, nella cit. *Miscellanea Branca*, III, p. 423-50; M.P. MUSSINI SACCHI, *La «Orphei Tragoedia» e il suo autore*, in AA.VV., *In ricordo di C. Angelini. Studi di letteratura e filologia*, a c. di F. ALESSIO e A. STELLA, Milano 1979, pp. 131-45; e P. VECCHI GALLI, *Accessioni polizianee in una miscellanea di poesie cortigiane*. (*Il nuovo testimone delle «Stanze»*), «Studi e Problemi di Critica Testuale», 32 (1986), pp. 13-29.

Di recente sono apparsi: *Concordanza delle «Stanze» di A.P.*, edita da D. ROSSI, Hildesheim-Zürich-New York 1983; e J. ROLSHOVEN - A. FONTANA, *Concordanza delle poesie italiane di A.P.*, Firenze 1986. Ma una lista del lessico delle *Stanze* era già in calce all'ormai classico libro di G. Ghinassi sulla lingua del poemetto (cit. qui sotto).

C. *Opere citate compendiosamente nel commento*

Affò = *Orfeo*, tragedia di messer A.P. tratta da due vetusti codici ed alla sua integrità e perfezione ridotta ed illustrata dal P.I. AFFÒ, Venezia 1776.

Bessi = R. BESSI, *Per un nuovo commento alle «Stanze» del P.*, «Lettere Italiane», XXXI (1979), pp. 309-41.

Bontempelli = *Il P., il Magnifico, lirici del Quattrocento*, scelta e commento di M. BONTEMPELLI, Firenze 1910 (rist. anast. Firenze, con pres. di G. Ghinassi).

Branca = V. BRANCA, *P. e Boccaccio*, appendice al cap. III, *L'idea «trionfale» nelle «Stanze», di P. e l'umanesimo della parola*, Torino 1983, pp. 50-52.

Caccia di Belfiore = Anonimo, *La caccia di Belfiore*, presso M. MARTELLI, *Un recupero quattrocentesco: La caccia di Belfiore*, «La Bibliofilia», LXVIII (1966), pp. 109-63 (testo alle pp. 138-61).

Carducci = *Le Stanze, l'Orfeo e le rime di Messer A.A.P.*, rivedute sui codici e su le antiche stampe e illustrate con annotazioni di varii e nuove da G. CARDUCCI, Firenze 1863 (nuova ed. Bologna 1912, con pres. di G. Mazzoni, una nota di E. Teza e un'appendice sui sonetti attr. a P. di G. Rossi).

Carrai, *Le muse dei Pulci* = S. CARRAI, *Le muse dei Pulci. Studi su Luca e Luigi Pulci*, Napoli 1985.

Cesarini Martinelli = L. CESARINI MARTINELLI, *In margine al commento di P. alle «Selve» di Stazio*, «Interpres», I (1978), pp. 96-145.

Contini = G. CONTINI, *Letteratura Italiana del Quattrocento*, Firenze 1976.

DBI = *Dizionario Biografico degli Italiani*, in corso di stampa presso l'Istituto dell'Enciclopedia Italiana, Roma.

De Robertis = D. DE ROBERTIS, *Interpretazione della Sylva in scabiem*, in *Carte d'identità*, Milano 1974, pp. 137-58.

GDLI = *Grande Dizionario della Lingua Italiana*, in corso di stampa presso la casa ed. UTET di Torino (I-XIII: A-PO).

Ghinassi = G. GHINASSI, *Il volgare letterario del Quattrocento e le «Stanze» del P.*, Firenze 1957 (si cita per pagine).

Gorni = G. GORNI, rec. a «Interpres», I (1978), in «Bibliothèque d'Humanisme et Renaissance», XLII (1980), pp. 703-7.

Lanza = *Lirici toscani del '400*, a. c. di A. LANZA, Roma 1973 (I) e 1975 (II).

Lo Cascio = R. LO CASCIO, *Lettura del P.: Le «Stanze per la Giostra»*, Palermo 1954.

Martelli = M. MARTELLI, *Simbolo e struttura delle «Stanze»*, postfazione ad *A.P., Stanze cominciate per la giostra di Giuliano de' Medici*, Torino 1979, pp. 89-125.

Momigliano = A.A.P., *Le Stanze, l'Orfeo e le rime*, intr. e note di Á. Momigliano, Torino 1921.

Nannucci = A.P., *Stanze per la Giostra del Magnifico Giuliano di Piero de' Medici*, illustrate per la prima volta con note dall'abate V. Nannucci, Firenze 1812; poi *Rime di A.P.*, con illustrazioni di V. Nannucci e L. Ciampolini, Firenze 1814.

Orlando = A.P., *Poesie italiane*, intr. di M. Luzi, testo e note a c. di S. ORLANDO, Milano 1976.

Orlando, *Note* = S. ORLANDO, *Note sulla «fabula di Orfeo» di A.P.*, «Giornale Storico della Letteratura Italiana», CXLIII (1966), pp. 503-17.

Pernicone = *Stanze di messere A.P. cominciate per la giostra di Giuliano de' Medici*, ed. critica a c. di V. PERNICONE, Torino 1954.

Proto = E. PROTO, *Elementi classici e romanzi nelle «Stanze» del P.*, «Studi di Letteratura Italiana», I (1899), pp. 318-38.

Rohlfs = G. ROHLFS, *Grammatica storica della lingua italiana e dei suoi dialetti*, Torino 1969 (si cita per paragrafi).

Sapegno = A.P., *Rime*, testo e note di N. Sapegno, Roma 1967².

Serafini = M. SERAFINI, *Le tragedie di Seneca nell'opera del P.*, «Convivium», N.S., I (1946), pp. 276-91.

Tissoni Benvenuti = A. TISSONI BENVENUTI, *L'Orfeo del P.* cit. (vedi punto A).

Tommaseo Bellini = N. TOMMASEO e B. BELLINI, *Dizionario della lingua italiana* (si cita dalla rist. anastatica con pres. di G. Folena, Milano 1977).

Toscan = J. TOSCAN, *Le carnaval du langage. Le lexique érotique des poètes de l'équivoque de Burchiello à Marino (XVᵉ-XVIIᵉ siècles)*, Lille 1981.

Trombadori = A.A.P., *Le Stanze, l'Orfeo e le rime. Passi scelti*, con intr. commento e appendice di pagine critiche a c. di G. TROMBADORI, Milano 1933 [a torto citato dai polizianisti, in genere, sotto il nome del piú noto G. Trombatore].

Warburg = A. WARBURG, *La «Nascita di Venere» e la «Primavera» di Sandro Botticelli*, in *La rinascita del paganesimo antico*, contributi alla storia della cultura raccolti da G. Bing, trad. di E. Cantimori, Firenze 1966, pp. 1-58.

Wind = E. WIND, *Misteri pagani del Rinascimento*, trad. di P. Bertolucci, Milano 1971.

D. *Altri studi*

Oltre ai lavori che agiscono direttamente nel presente commento alle *Stanze* ed alla *Fabula di Orfeo*, isolati qui sopra, occorre ricordare le importanti pagine dedicate alle due operette da D. DE ROBERTIS nel cap. *L'esperienza poetica del Quattrocento*, in AA.VV., *Storia della Letteratura Italiana*, dir. da E. Cecchi e N. Sapegno, III, Milano 1966 (i paragrafi polizianeschi sono alle pp. 513-56).

Quanto alle *Stanze*, sono utili inoltre gli studi inclusi da R.M. RUGGIERI in *L'umanesimo cavalleresco italiano*, Roma 1962 (Napoli 1977²), e da E. BIGI in *La cultura del P. e altri studi umanistici*, Pisa 1967; cui si aggiunga, del medesimo Bigi, *Irregolarità e simmetrie nella poesia del P.*, in AA.VV., *Miscellanea Branca* cit., III, pp. 353-61. L'ipotesi che il poemetto sia compiuto cosí com'è è stata avanzata con scarso successo da W. WELLIVER, *The subject and purpose of Poliziano's «Stanze»*, «Italica», XLVIII (1971), pp. 34-50. Riguarda i rapporti con le arti figurative, ma si rivela prezioso anche per una valutazione ideologica e culturale del testo, S. SETTIS, *Citarea «su un'impresa di bronconi»*, «Journal of the Warburg and Courtauld Institutes», XXXIV (1971), pp. 142-48; e per un piú ampio raffronto iconologico con l'opera del Botticelli, si veda E.H. GOMBRICH, *Mitologie botticelliane*, in *Immagini simboliche. Studi sull'arte del rinascimento*, trad. R. Federici, Torino 1978, pp. 47-113.

Nutrita, specie negli ultimi tempi, è la bibliografia accessoria alla *Fabula di Orfeo* che mette conto registrare: M. VITALINI, *A proposito della datazione dell'«Orfeo» del P.*, «Giornale Storico della Letteratura Italiana», CXLVI (1969), pp. 245-51; A. TISSONI BENVENUTI, *La fortuna teatrale dell'Orfeo del P.*, in AA.VV., *Culture regionali e letteratura nazionale*, Atti del VII Convegno dell'AISLLI, Bari 1973, pp. 397-416; C. MUNRO PYLE, *Politian's «Orfeo» and other «Favole Mitologiche» in the context of Late Quattrocento Northern Italy*, New York 1976; M.L. DOGLIO, *Mito, metamorfosi, emblema dalla «Favola di Orfeo» del P. alla «Festa de Lauro»*, «Lettere Italiane», XXIX (1977), pp. 148-70; V. BRANCA, *Momarie veneziane e «fabula di Orfeo»*, in *Poliziano e l'umanesimo della parola* cit., pp. 55-72 (ma la prima pubblicazione del saggio risale al 1980); C. MUNRO PYLE, *Le thème d'Orphée dans les oeuvres latines d'Ange Politien*, «Bulletin de l'Association G. Budé», XXXIX (1980), pp. 408-19; ID., *Il tema di Orfeo, la musica e le favole mitologiche del tardo Quattrocento*, in AA.VV., *Ecumenismo della cultura*, Atti del XIII Convegno Int. di Studi sull'Umanesimo, Firenze 1981, II, pp. 121-39; A. TISSONI BENVENUTI, *Il viaggio di Isabella d'Este a Mantova nel giugno 1480 e la datazione dell'«Orfeo» del P.*, «Giornale Storico della Letteratura Italiana», CLVIII (1981), pp. 368-82; E. BIGI, *Umanità e letterarietà nell'«Orfeo» del P.*, ivi, CLIX (1982), pp. 183-215; A. TISSONI BENVENUTI, *La fabula satirica e l'«Orfeo» del P.*, in AA.VV., *Le origini del dramma pastorale in Europa*, Viterbo 1985, pp. 91-102. Suggestivo e assai utile pure N. PIRROTTA, *Li due Orfei. Da P. a Monteverdi*, con un saggio critico sulla scenografia di E. Povoledo, Torino 1975²; e sul medesimo versante di studi va ricordato F.W. STERNFELD, *The Birth of Opera: Ovid, Poliziano and the «lieto fine»*, «Analecta Musicologica», XIX (1979), pp. 30-51. Infine, un accenno all'interpretazione morale della favola proposta nell'intr. a questa ed. si trova in alcune pagine del saggio di P. ORVIETO, *Boccaccio mediatore di generi o dell'allegoria d'amore*, «Interpres», II (1979), precisamente alle pp. 95-102.

Il testo delle *Stanze* è sostanzialmente quello fornito da M. Martelli nell'ed. cit. (Torino 1979); me ne distacco soltanto, in un caso, per l'interpunzione (I 120 8 tolgo la virgola tra *faretrato* e *augello* considerandoli come sintagma unico), in uno per la scansione (a I 21 5 preferisco far dialefe dopo *Fortuna* che leggere *invidiosa* pentasillabo) e, in un altro, per la grafia: a II 39 3 accolgo infatti il restauro introdotto da Contini (*compagna*), sulla base della forma in rima a I 29 1 e anche perché l'ambigua grafia *compagnia* potrebbe indurre ad errata accentazione della parola, fuorviante per la scansione del verso (del resto già Pernicone, pur senza intervenire, auspicava a pie' di pagina: «Per il ritmo del verso sarebbe preferibile leggere *compagna*»). Sottoscrivo peraltro le seguenti righe di Martelli circa il problema costituito dalle rubriche a margine: «Legittimi e consistenti dubbi si possono nutrire sull'autenticità delle didascalie marginali (assenti in un testimone come R[1], attestate per il secondo libro dal solo B). Per questo – in considerazione anche della loro scarsa significatività (se si eccettua quella che B assegna a II 35: *Pronostico verissimo della morte di Iulio*, peraltro erronea e arbitraria) – si preferisce ometterle».

Discorso più articolato richiede il titolo, per cui si vedano le osservazioni formulate da chi scrive in «Rivista di Letteratura Italiana», V (1987), pp. 195-97. Qui si è mantenuto quello vulgato, convinti però che la formulazione dei testimoni che lo tramandano (*Stanze di messere A.P. cominciate per la giostra di Giuliano de' Medici*: R2, C, P e, con lieve variante, B) ne rivela la natura di apocrifo prodotto verosimilmente dal referente metrico; sicché esso ha tutta l'aria di esser dovuto a chi compilò il loro capostipite comune raccogliendo la produzione volgare di Poliziano, apponendo probabilmente alle *Stanze* le didascalie marginali e annotando in calce che l'opera era stata «dall'autore lasciata imperfetta». Sebbene non sia da escludere che egli non si preoccupasse affatto d'assegnare un titolo a quell'operetta rimasta incompiuta, maggior probabilità di risalire direttamente alla sua penna hanno l'intitolazione di M[1] (*Angeli Politiani ad Iulium Medicem*) o quella affine recata dal cod. 10 del convento bolognese di S. Spirito tornato recentemente in luce (*Angeli Politiani in Iulium Medicem*).

Sul problema ecdotico relativo al testo del poemetto si ricordino qui – oltre all'intr. del Pernicone all'ed. cit., all'art. di Gorni cit. nella nota bibl. al punto B, e alla nota al testo dell'ed. Martelli – i più recenti interventi dei medesimi Martelli (*Considerazioni intorno alla contaminazione nella tradizione dei testi volgari*, in AA.VV., *La critica del testo. Problemi di metodo ed esperienze di lavoro*, Roma 1985, pp. 127-49) e Gorni, *Le gloriose pompe (e i fieri ludi) della filologia italiana oggi*, «Rivista di Letteratura Italiana», IV (1986), pp. 400-406.

Il testo della *Fabula di Orfeo* è quello fissato nell'ed. cit. di A. Tissoni Benvenuti (Padova 1986), con alcune modifiche relative all'interpunzione e ad altri segni diacritici, e uniformando i grafemi latineggianti a quelli moderni adottati per le *Stanze* in conformità con l'ed. Martelli (ad es. ph = f, ct = tt). Si conservano perciò alcune parole sdrucciole interne al verso, di fronte a cesura (307 *biasimi*; 311, 312 e 316 *bevere*), che producono ipermetria secondo la scansione consueta e si potrebbero facilmente emendare (biasmi, bever o bere), in considerazione del fatto che il canto avrà forse richiesto, nella fattispecie, un ritmo diverso. Unica difformità nell'interpretazione, al v. 98, *ch'è* (non *ché*).

Vengono relegate inoltre in appendice le tre macrovarianti che l'editrice ha brillantemente dimostrato esser state aggiunte da chi allestí la rappresentazione della *pièce* con Baccio Ugolini nelle vesti del protagonista; vale a dire: la saffica in onore del cardinal Gonzaga (dopo il v. 140), l'ottava pronunciata da Minosse (dopo il v. 188) e i due distici messi insieme con frammenti del secondo libro degli *Amores* ovidiani (dopo il v. 244).

Per la descrizione dei testimoni manoscritti e a stampa (e per le sigle impiegate in questa stessa premessa) si veda la bibliografia indicata al punto B della precedente nota bibliografica.

I criteri con cui si è proceduto al commento dipendono dalla considerazione che una poesia come quella di Poliziano, estremamente dotta, necessita soprattutto di chiose che mirino a ricomporre sotto gli occhi del lettore il vasto sistema culturale dal quale scaturisce. Si è perciò privilegiato questo aspetto, riducendo all'indispensabile le note di carattere linguistico (piú esplicative che descrittive) e rinviando per una piú ampia analisi della lingua polizianesca al noto libro di Ghinassi. Nel caso delle fonti latine o non immediatamente riconoscibili (sono esclusi quindi da tale novero Dante e Petrarca) si è cercato di stabilire la priorità dell'allegazione, segnalando tra parentesi lo studioso che ne ha dato indicazione per primo o quanto meno il primo commento in cui è stata registrata.

Per le abbreviazioni impiegate si veda la nota bibliografica al punto C. Le opere di Poliziano sono citate spesso con abbreviazioni del tipo *Eleg.* = *Elegiae*, *Epigr. gr.* = *Epigrammata graeca* (per le rime solo l'*incipit*); quando si tratta di opere in prosa di cui esista una sola ed. si cita il numero di pagina, altrimenti l'indicazione dell'ed. e il numero di pagina. Si avverta inoltre che le *Selve* laurenziane sono citate secondo la nuova numerazione (ma non il nuovo titolo) adottata in L. de' Medici, *Stanze*, a c. di R. Castagnola, Firenze 1986.

Desidero infine esprimere la mia gratitudine a Guglielmo Gorni, che mi ha fatto largo dono di consigli e di suggerimenti preziosi.

SOMMARI

Stanze

Fabula di Orfeo

Tavola metrica della *Fabula di Orfeo*

STANZE

LIBRO PRIMO

1 Le glorïose pompe e' fieri ludi
della città che 'l freno allenta e stringe
a' magnanimi Toschi, e i regni crudi
di quella dea che 'l terzo ciel dipinge,

1 1. *Le glorïose ... ludi*: 'il fastoso corteo e la gara marziale' (plur. per il sing., cfr. Ghinassi 50). I precedenti commentatori interpretano concordemente i due sostantivi come una dittologia sinonimica, dando a *pompe* il senso di «spettacoli, partecipando ai quali si ottiene la gloria» (Orlando); lo stesso Ghinassi intende la voce nell'accezione generica di «funzioni sacre» (88) ovvero «processioni, solenni manifestazioni» (109). Ma occorrerà restituire al latinismo il suo preciso valore di 'corteo trionfale, seguito', come conferma il resoconto di questa stessa giostra contenuto in una lettera di Filippo Corsini a Piero Guicciardini: «Post tantam vero magnificentiam se ostentavit Paulus Antonius Soderinus eximia corporis pulchritudine preditus in cuius egregia pompa preter plures dignissimas auro arteque elaboratas vestes pulchre phaleratus adolescentium equitatus conspiciebatur», e ancora, a proposito di Jacopo Pitti: «Processit tamen in pompa haud contemnendus, sed ad reliquos minime comparandus» (cfr. P.O. KRISTELLER, *Studies in Renaissance Thought and Letters*, Roma, 1969[2], 446). Nella protasi P. si ripropone in altre parole di cantare, secondo lo schema tipico delle descrizioni di giostre, la parata dei cavalieri col rispettivo corteggio e il combattimento, utilizzando una dittologia di cui si ricorderà in *Manto* 240-41 («hic patris ad tumulum solemneis ordine pompas / dux, ac meritos celebrabit littore ludos»), dove si rinvia esplicitamente alle cerimonie per l'anniversario della morte di Anchise in VIRGILIO, *Aen.* V 53-54 («sollemnisque ordine pompas / exsequerer»), ma impiegando il sintagma nell'accezione di *Geor.* III 22 «sollemnis ducere pompas». Altra occorrenza polizianèa con significato affine in *Eleg.* VII 267 («Praecedit jam pompa frequens»); e per altri esempi in volgare si veda GDLI s. v. *Pompa* 2 6, cui si aggiunga almeno BOCCACCIO, *Ameto* XXI, dove alle nozze di Emilia «e la gran pompa de' festanti giovani e le varie maniere degli strumenti ausonici essultarono». La junctura *fieri ludi* è adottata per denotare i giuochi marziali anche da LORENZO, *Selve* II 11 5 e *De Summo Bono* I 93.

2-3. *della città ... Toschi*: di Firenze, che governava, ora stringendo ora allentando la morsa del proprio dominio, quasi l'intera Toscana. Per l'immagine cfr. VIRGILIO, *Aen.* I 62-63 «regemque dedit qui foedere certo / et premere et laxas sciret dare iussus habenas» (Carducci), e anche LANDINO, *Xandra* III 16 19 «Cosmum Tyrrheni moderantem frena leonis». - *i regni crudi*: 'il crudele dominio', plur. secondo l'uso caro ai poeti latini (TIBULLO IV 5 4, PROPERZIO III 10 18, ecc.).

4. *quella dea*: Venere. - *che ... dipinge*: 'che orna il terzo cielo'; evoca il ricordo di DANTE, *Par.* XXIII 26-27 «Trivia ride tra le ninfe etterne / che dipingon lo ciel per tutti i seni».

e i premi degni alli onorati studi,
la mente audace a celebrar mi spinge,
sí che i gran nomi e i fatti egregi e soli
fortuna o morte o tempo non involi.

2   O bello idio ch'al cor per gli occhi inspiri
dolce disir d'amaro pensier pieno,
e pasciti di pianto e di sospiri,
nudrisci l'alme d'un dolce veleno,
gentil fai divenir ciò che tu miri,
né può star cosa vil drento al tuo seno;

---

5. *onorati studi*: 'onorevoli occupazioni', perifrasi che indica ovviamente il torneo.

6. Come segnalò Nannucci, è calco da CLAUDIANO, *De raptu Pros.* I 3-4 «audaci promere cantu / mens congesta iubet» (utilizzato anche in *Manto* 36-38), di cui assume lo stesso andamento sintattico; meno stringente il rinvio di Carducci all'attacco delle *Metamorfosi* ovidiane.

7. *soli*: 'unici, incomparabili'.

8. Cfr. VIRGILIO, *Aen.* IX 447 «nulla dies unquam memori vos eximet aevo» (Nannucci). - *involi*: 'rapisca, sottragga' all'eterna memoria.

2   1-2. *bello idio*: Amore, l'epiteto è tradizionale. - *inspiri... d'amaro*: cfr. PETRARCA, *RVF* CCLXVI 5, e si noti il movimento allitterativo che si propaga, su altro suono, al secondo emistichio e al primo del verso successivo. La dialettica tra i due aspetti contrastanti della passione amorosa aveva trovato particolare risonanza nella lirica di Petrarca e nel *Tr. Cupid.* (III 68 e 186); per i precedenti si veda E. PARATORE, *Da Plauto al «Mare amoroso»*, «Rivista di Cultura Classica e Medievale», VII (1965), 828-50; quanto alle fonti greche ed alla rivisitazione neoplatonica del motivo basti ricordare un brano di FICINO, *Sopra lo amore* II 8: «Platone chiama l'Amore amaro, e non senza cagione, perché qualunque ama muore amando; e Orfeo chiama l'Amore un pomo dolce amaro...».

3. Intarsio di due luoghi petrarcheschi: *RVF* XCIII 14 e CXXX 5.

4. *nudrisci l'alme*: cfr. PETRARCA, *RVF* CCLVIII 9. - *dolce veleno*: abbinamento petrarchesco, *RVF* CLII 8 e CCVII 84; si noti che l'agg. replica quello in inizio del v. 2.

5. Il modello è quello dell'esordio del son. dantesco «Ne li occhi porta la mia donna Amore, / per che si fa gentil ciò ch'ella mira» (*Vita N.* XXI), riecheggiato anche da LORENZO, *Comento* son. XII 7.

6. È il riflesso dell'etica amorosa, come in Petrarca, *RVF* CCCLX 124 «a lui piacer non poteo cosa vile», incrociato forse con l'eco di GUINIZZELLI, son. *Io voglio del ver* 12 «e no·lle pò appressare om che sia vile», o di CAVALCANTI, son. *Se vedi Amore* 10 «e non vi può servir om che sia vile». - *drento*: la forma con metatesi (Rohlfs 322) ricorre in rima a I 66 6 e II 5 6.

Amor, del quale i' son sempre suggetto,
porgi or la mano al mio basso intelletto.

3   Sostien' tu el fascio ch'a me tanto pesa,
reggi la lingua, Amor, reggi la mano;
tu principio, tu fin dell'alta impresa,
tuo fia l'onor, s'io già non prego invano;
di', signor, con che lacci da te presa
fu l'alta mente del baron toscano
piú gioven figlio della etrusca Leda,
che reti furno ordite a tanta preda.

4   E tu, ben nato Laur, sotto il cui velo

7. Cfr. BOCCACCIO, *Filostrato* I 4 1-2 «Adunque, o bella donna, alla qual fui / e sarò sempre fedele e suggetto» (come qui in senso di 'suddito').
8. La richiesta d'aiuto ricalca quella petrarchesca di *RVF* CCCLIV 1-2 «Deh, porgi mano a l'affannato ingegno, / Amor», e insieme quella di LO-RENZO, *De Summo Bono* IV 21 «questa la mano al basso ingegno porga».

3   1. *fascio*: metaforico per 'peso, carico', come in PETRARCA, *RVF* LXXXI 1.
2. Cfr. BOCCACCIO, *Filostrato* I 4 7 «guida la nostra man, reggi lo 'nge-gno», che spiega anche il valore di *reggi*, solo apparentemente in rapporto di sinonimia con *sostien* del verso prec. - *la mano*: replica il sintagma del v. 8 della precedente ottava, stabilendo un rapporto di coblas capfinidas con collegamento allentato.
3. Cfr. VIRGILIO, *Buc.* VIII 11 «A te principium, tibi desinam» (Nan-nucci). - *alta impresa*: diffuso sintagma d'ascendenza petrarchesca, cfr. ad es. PULCI, *Morgante* XXVIII 121 6.
4. Nuova eco di BOCCACCIO, *Filostrato* I 5 7-8 «Tuo sia l'onore e mio sarà l'affanno, / s'e' detti alcuna laude acquisteranno» (all'amata).
6. *alta*: 'nobile', come al v. 3 - *baron toscano*: Giuliano, con perifrasi di sapore cavalleresco.
7. *etrusca Leda*: Lucrezia Tornabuoni (1425-82), moglie di Piero de' Me-dici e madre di Lorenzo e di Giuliano, assimilati qui, sebbene non fossero gemelli, ai Dioscuri (protettori fra l'altro della cavalleria) nati dagli amori di Giove e di Leda.
8. *tanta*: 'sí illustre'.

4   1. *Laur*: nome poetico consueto entro la cerchia medicea per designare LORENZO (basti per tutti LUCA PULCI, *Driadeo* III 14 5-8), cui egli stesso allude in *Selve* I 6 1-2. - *velo*: 'protezione', cfr. I 80 5.

Fiorenza lieta in pace si riposa,
né teme i venti o 'l minacciar del celo
o Giove irato in vista piú crucciosa,
accogli all'ombra del tuo santo stelo
la voce umíl, tremante e paurosa;
o causa, o fin di tutte le mie voglie,
che sol vivon d'odor delle tuo foglie.

5   Deh, sarà mai che con piú alte note,
se non contasti al mio volar fortuna,

2. La giostra si tenne sulla piazza di Santa Croce il 29 febbraio 1475 per celebrare la lega stipulata il 2 novembre con Milano e Venezia, cui aderí poi anche il Papa; Aurelio Augurelli, cantando l'avvenimento in distici, scriveva difatti: «postquam caelo pax est demissa per omnem / Italiam ... Etrusci ut gratam Venetis hanc denique monstrent / esse sibi, ludos instituere novos» (in G. PAVANELLO, *Un maestro del Quattrocento*, Venezia, 1906, 238).

3-4. *né teme i venti*: cfr. l'eleg. al Fonzio 134 «nec metuit si quas increpat aura minas». - *o 'l minacciar ... crucciosa*: immagine dantesca (*Inf.* XIV 52-53) accolta da altri poeti quattrocenteschi, come FRANCESCO ALBERTI, son. *Quando il Fulminator crucciato tona* (Lanza, I 100); qui sensibilmente vicina a PULCI, *Morgante* XXV 73 6 «quando par Giove piú crucciato sdegni» e 78 8 «tanto l'ira del Ciel par che minacci». - *celo*: grafia fonetica normale nell'uso antico, cfr. I 5 6 e II 43 8. - *in vista*: 'in aspetto'. - *crucciosa*: 'sdegnata', cfr. I 33 3.

5. *all'ombra ... stelo*: metafora virgiliana (*Buc.* I 1) analoga a quella del v. 1 e coerente col nome poetico di Lorenzo, diffusa tra i clienti medicei ad indicare la sua protezione; del P. stesso PULCI diceva: «ma stassi all'ombra d'un famoso alloro» (*Morgante* XXVIII 146 4). - *santo*: perché sacro ad Apollo.

7. *o causa, o fin*: «la distinzione filosofica, già greca, di causa efficiente e causa finale» (Contini).

8. Professione di fede ricorrente tra i cortigiani medicei, basti ricordare LUCA PULCI, *Pístole* I 51 «che sol di speme di te, Lauro, vive».

5   1. Cfr. VIRGILIO *Buc*. VIII 7-8 «en erit unquam / ille dies, mihi cum liceat tua dicere facta?» (Nannucci), riecheggiato in *Eleg.* I 7-8 (pure rivolto a Lorenzo) «Tum liceat nomen fama tibi ferre per aevum / et tua non humili gesta sonare tuba». - *piú alte note*: 'poema di maggior impegno'.

2. *contasti*: congiuntivo (con dileguo della *r*) in dipendenza da *se* ottativo. - *volar*: il Magl. II X 54 e le stampe antiche recano la variante «voler», banalizzante giacché «la lezione *volar* è convalidata da quanto è detto nei versi seguenti, specialmente 7 e 8» (Pernicone).

lo spirto delle membra, che devote
ti fuor da' fati insin già dalla cuna,
risuoni te dai Numidi a Boote,
dagl'Indi al mar che 'l nostro celo imbruna,
e posto il nido in tuo felice ligno,
di roco augel diventi un bianco cigno?

6   Ma fin ch'all'alta impresa tremo e bramo,
     e son tarpati i vanni al mio disio,
     lo glorïoso tuo fratel cantiamo,
     che di nuovo trofeo rende giulío
     il chiaro sangue e di secondo ramo:
     convien ch'i' sudi in questa polver io.
     Or muovi prima tu mie versi, Amore,
     ch'ad alto volo impenni ogni vil core.

---

3. *lo spirto delle membra*: locuz. attinta all'incipit petrarchesco *Spirto gentil, che quelle membra reggi* (RVF LIII). - *devote*: 'consacrate'.
   4. *cuna*: latinismo, 'culla'.
   5. *risuoni*: piú che avere valore fattitivo il verbo sembra conservare l'uso transitivo del latino (Ghinassi 55), come in DANTE, *Par.* XXIV 113 e Petrarca, *RVF* XXIII 65. - *dai Numidi a Boote*: 'dalla Numidia fino alla costellazione di Boote' (da nord a sud).
   6. *dagl'Indi ... imbruna*: 'dall'India al mare posto sotto il nostro cielo' (da oriente ad occidente).
   7. Anche LUCA PULCI, *Driadeo*, Prol. 6 1-2 «Poi sopra al Lauro poserò il mio nido / Medice nato». - *ligno*: con conservazione del vocalismo latino.
   8. Cfr. SIDONIO APOLLINARE, *Carm.* XXII intr. «coram canoro cigno ravum anserem profitemur» (Sapegno). - *diventi un bianco cigno*: per le sue qualità canore.

6   1. *alta impresa*: cfr. I 3 3 e n.; nella fattispecie allude alla celebrazione di Lorenzo. Si noti 'bramare' intr. Il Magl. II X 54 reca la variante «che l'alta», con la costruz. latineggiante di *tremo* e l'accusativo.
     2. *vanni*: 'ali', cfr. I 124 6.
     4. *di nuovo trofeo*: 'per la nuova vittoria', dopo l'altra di Lorenzo nella giostra di sei anni prima. - *giulío*: 'lieto', forse allusivo al nome del vincitore.
     5. *chiaro*: latinismo. - *sangue*: dei Medici. - *di secondo ramo*: di alloro, in segno della nuova vittoria; cfr. *Sylva in scabiem* 259-61.
     6. «notevole il toscanismo rappresentato dal doppio pronome, proclitico ed enfatico» (Contini). - *polver*: latinismo per 'arena, campo di gara'; «si noti tuttavia che il P. non mantiene il genere del latino» (Ghinassi).
     8. *volo*: riprende la metafora del v. 2 dell'ottava prec. - *impenni*: 'metti le ali a', cfr. PETRARCA, *RVF* CLXXVII 3 «Amor ch'a' suoi le piante e i cori impenna».

7   E se qua su la fama el ver rimbomba,
che la figlia di Leda, o sacro Achille,
poi che 'l corpo lasciasti intro la tomba,
t'accenda ancor d'amorose faville,
lascia tacere un po' tuo maggior tromba
ch'i' fo squillar per l'italiche ville,
e tempra tu la cetra a' nuovi carmi,
mentr'io canto l'amor di Iulio e l'armi.

8   Nel vago tempo di sua verde etate,
spargendo ancor pel volto il primo fiore,
né avendo il bel Iulio ancor provate

---

7   1. *qua su*: tra i vivi. - *la fama*: sogg. - *rimbomba*: il verbo, eccezionalmente transitivo (cfr. almeno Luca Pulci, *Driadeo* I 40 2 «rimbomba or
Ecco l'ultime parole», già allegato da Ghinassi 55), dà il via ad una terna
di parole-rima risalente a Dante, *Inf.* VI 94-99, accolta fra gli altri da Pulci, *Morgante* XXIII 51 1-6, ed il cui impiego avrà certo fatto agire il ricordo di Petrarca, *RVF* CLXXXVII 1-8, per la concomitante presenza del
«fero Achille» (menzionato anche qui al v. 2) e per il valore di 'canto' assegnato a *tromba* là, al v. 3, qui al v. 5.
    2. *figlia di Leda*: Elena che, secondo una leggenda tramandata da Tolo-
meo Efestione, presso Fozio, sposò Achille dopo la morte nell'isola di Luce; analoga allusione in *Ambra* 146-47, dove si ritrova pure la *junctura* «sacer
Achilles» (v. 286) di ascendenza omerica.
    3. *'l corpo lasciasti*: locuz. che evoca un'aura dantesca, cfr. *Inf.* X 12 e
XXX 75 «perch'io il corpo su arso lasciai», e *Purg.* XXIV 87; ma anche
Petrarca, *RVF* XXII 27.
    4. *d'amorose faville*: 'con stimoli che eccitano la passione', cfr. Dante,
Par. IV 139-40.
    5-6. Accenno alla versione dell'*Iliade*; cfr. II 15 3. - *tromba*: vedi la n.
al v. l.
    7. *tempra*: 'accorda'.
    8. Adattamento del virgiliano «Arma virumque cano», parafrasato in *Nu-
tricia* 347-48 «canit arma virumque / Vergilius».

8   1. Scoperta eco dell'incipit petrarchesco *Nel dolce tempo de la prima
etade* (*RVF* XXIII) a segnare l'inizio della storia dell'anima di Iulio.
    2. *spargendo ... fiore*: 'recando ancora sulle guance la prima peluria' (al-
l'epoca della giostra Giuliano non era ancora ventiduenne); l'immagine era
già in Virgilio, *Aen.* VIII 160 e Claudiano, *Paneg. Ol. et Prob.* 69 (segnalati rispett. da Nannucci e Carducci), ma il verbo, si aggiunga, risulta
attinto a Petrarca, *Tr. Cupid.* III 155 «e poi si sparge per le guance il
sangue».
    3. *Iulio*: è il nome poetico di Giuliano.

le dolce acerbe cure che dà Amore,
viveasi lieto in pace e 'n libertate.
Talor, frenando un gentil corridore
che gloria fu de' ciciliani armenti
(con esso a correr contendea co' venti),

9   ora a guisa saltar di leopardo,
or destro fea rotarlo in breve giro;
or fea ronzar per l'aere un lento dardo,
dando sovente a fere agro martiro.
Cotal viveasi il giovene gagliardo;
né pensando al suo fato acerbo e diro,
né certo ancor de' suo futuri pianti,
solea gabbarsi delli afflitti amanti.

---

4. *dolce acerbe*: ossimoro squisitamente petrarchesco, vedi in particolare *RVF* CCLXX 64 «de la sua vista dolcemente acerba»; e cfr. I 115 6. - *cure*: 'affanni'.

6. *frenando*: 'guidando il corso di'; diversa accezione del verbo a I 26 3. - *gentil corridore*: si ricordi la definizione data da Lorenzo nella prosa esplicativa premessa al son. XIII del *Comento*: «chiameremo un 'gentile cavallo corridore' il quale corre piú velocemente che gli altri, ed oltre a questo vi aggiugneremo la bellezza che agli occhi lo facci grato, perché, oltre al correre forte, non sarebbe gentile se non corressi levato e ben partito e con poca dimostrazione di fatica o d'affanno».

7. *ciciliani armenti*: le mandrie dei pregiati cavalli siciliani; la forma assimilata dell'agg., di norma nella lingua antica, ricorre anche a I 93 4.

8. Cfr. VIRGILIO, *Aen.* VII 807 «cursuque pedum praevertere ventos» (Nannucci), utilizzato anche in *Manto* 178; e si noti la forte allitterazione.

9   2. Topica l'attitudine del buon cavaliere a far voltare con destrezza il cavallo, per cui si veda PULCI, *Morgante* XVI 3 6-7 «volselo in aria con tanta destrezza / che non lo volse mai sí destro Ettorre»; l'immagine è accolta pure in *Manto* 266-67 «facilesque in pulvere gyros / flectit eques». - *destro*: riferito a Iulio. - *breve*: 'ristretto'.

3. *or*: conclude la breve serie anaforica inaugurata al v. 6 della stanza prec. - *ronzar ... dardo*: cfr. VIRGILIO, *Aen.* VII 164-65 «aut lenta lacertis / spicula contorquent» (Nannucci), e si osservi che *lento* conserva il valore di 'flessibile' (Ghinassi 95); vedi pure I 40 7.

4. *agro martiro*: 'dura morte' (cfr. I 34 8), variante del dantesco «aspro martiro» (*Inf.* XVI 6).

5. *viveasi*: cfr. I 8 5.

6. *acerbo e diro*: dittologia sinonimica, 'crudele'.

7. *certo*: 'conscio', cfr. Ghinassi 109.

10   Ah quante ninfe per lui sospirorno!
           Ma fu sí altero sempre il giovinetto,
           che mai le ninfe amanti nol piegorno,
           mai poté riscaldarsi il freddo petto.
           Facea sovente pe' boschi soggiorno,
           inculto sempre e rigido in aspetto;
           e 'l volto difendea dal solar raggio,
           con ghirlanda di pino o ver di faggio.

11   Poi, quando già nel ciel parean le stelle,
           tutto gioioso a sua magion tornava;
           e 'n compagnia delle nove sorelle

---

10   1. Cfr. BOCCACCIO, *Teseida* VI 18 5 «Oh, quante donne allor fe' so-
spirare!» (Branca); il motivo torna in *Sylva in scabiem* 251-53. Per l'accezione di *ninfe* in senso di 'fanciulle', consueta nella poesia fiorentina del
Quattrocento, vedi Ghinassi 104.
    2-3. Il modello dovrebbe risalire al Narciso o all'Orfeo ovidiani (*Met.*
III 353-55 e X 81-82), ma vedi pure BOCCACCIO, *Ameto* IV 22-25. - *altero ... giovinetto*: cfr. I 22 2. - *ninfe*: replica in posizione ritmicamente identica la voce del v. 1.
    6. *rigido*: latinismo, 'selvaggio'; come in BOCCACCIO, *Ameto* IV 43 «e
ciò che 'n el fu rigido e silvestro».
    7-8. Cfr. OVIDIO, *Met.* I 699 «pinuque caput praecinctus acuta» (Nan-
nucci), che P. potrebbe aver tradotto con l'ausilio di BOCCACCIO, *Ameto*
VII «difeso da' raggi solari da piacevoli ombre»; vedi pure LORENZO, *Ambra* 25 7-8 «difende il capo inculto a' febei raggi / coronato d'abeti et mon-
tan' faggi». Si noti inoltre che P. potrebbe aver tratto spunto anche dalla
realtà, se è vero che il giorno del torneo Giuliano durante la sfilata recava
sulla testa «una grillanda lavorata di seta suvi due penne bianche et a pie'
d'esse uno balascio e uno diamante e tre perle di grandissima valuta» (ms.
II IV 324 della Bibl. Naz. Centr. di Firenze, c. 124v). - *di pino ... faggio*:
per l'abbinamento cfr. PETRARCA, *RVF* X 6 e CXLVIII 5. Già Pernicone
sospettava fosse autentica la lezione del Ricc. 1576 (cfr. I 15 3); banalizzante quella degli altri testimoni che leggono invece «o verde faggio», fon-
dandosi su un sintagma cristallizzato (LUCA PULCI, *Pístole* I 5; IACOPO DE'
BONINSEGNI, *Egloghe* V 1-2; ecc.).

11   1. *parean le stelle*: memorizza forse PETRARCA, *Tr. Mor.* I 25 «stelle
chiare pareano», piegandolo però ad altro significato (non 'sembravano' bensí
'apparivano'); e per il narrema cfr. BOCCACCIO, *Ninfale fiesolano* 196 1-2
«Ma poi che nel ciel già tutte le stelle / si vedean» (Branca).
    3. *nove sorelle*: le Muse, di cui al v. 8.

celesti versi con disio cantava,
e d'antica virtú mille fiammelle
con gli alti carmi ne' petti destava:
cosí, chiamando amor lascivia umana,
si godea con le Muse o con Dïana.

12 E se talor nel ceco labirinto
errar vedeva un miserello amante,
di dolor carco, di pietà dipinto,
seguir della nemica sua le piante,
e dove Amor il cor li avessi avinto
lí pascer l'alma, di dua luci sante
preso nelle amorose crudel gogne,
sí l'assaliva con agre rampogne:

13 «Scuoti, meschin, del petto il ceco errore,

4-6. Cfr. la chiusa del *Coniurationis commentarium* dove di Giuliano è
detto: «picturam maxime amplectebatur et musicam atque omne munditia-
rum genus. Ingenio erat ad poesim non inepto: scripsit nonnulla ethrusca
carmina, mire gravia et sententiarum plena; amatoria carmina libens lecti-
tabat» (ed. Perosa 63-64). - *celesti versi*: cfr. PETRARCA, *Tr. Fam.* abb. 157.
    7. *lascivia umana*: clausola petrarchesca, *Tr. Cupid.* I 82, ripresa anche
da MATTEO PALMIERI, *Città di vita* I 22 15.

12 1. *ceco labirinto*: quello della passione amorosa; la junctura è petrarchesca (*RVF* CCXXIV 4), per la grafia dell'agg. vedi l'ottava seguente vv.
1 e 8.
    2. *miserello amante*: vedi il risp. *Solevon già col canto* 3-4, dove Ippolita
«cantando tiene / sempre nel foco e miserelli amanti»; cfr. anche I 22 5 e
58 7, oltre che *Orfeo* 177.
    3. *di pietà dipinto*: clausola petrarchesca, *RVF* XXVI 3 e CCCLVI 9.
    4. Cfr. BOCCACCIO, *Ninfale fiesolano* 15 5-6 «seguendo le piante / delle
fiere selvagge». - *della nemica sua*: dell'amata, secondo la diffusa fraseolo-
gia petrarchesca. - *le piante*: 'le orme'.
    6. *luci sante*: formula rigorosamente in rima anche in DANTE (*Purg.* I
37, *Par.* VII 141 e XX 69) e, con lo stesso valore di 'occhi', in PETRARCA
(*RVF* CVIII 3 e CCCL 14).
    7. *gogne*: 'trappole'; già Nannucci citava la pulciana *Giostra* 5 3-4 «Amor
suoi ceppi preparava e gogne, / i gioghi, i lacci ed ogni sua catena».
    8. *agre rampogne*: clausola petrarchesca, *RVF* CCCLX 76.

13 1. Cfr. SENECA, *Phaedra* 130 «nefanda casto pectore exturba» e per
la junctura «error caecus» *Herc. fur.* 1096 (Serafini). Per la cecità di Errore
personificato vedi anche I 75 3. - *del*: 'dal'.

ch'a te stessi te fura, ad altrui porge;
non nudrir di lusinghe un van furore,
che di pigra lascivia e d'ozio sorge.
Costui che 'l vulgo errante chiama Amore
è dolce insania a chi piú acuto scorge:
sí bel titol d'Amore ha dato il mondo
a una ceca peste, a un mal giocondo.

14   Ah quanto è uom meschin, che cangia voglia
per donna, o mai per lei s'allegra o dole,
e qual per lei di libertà si spoglia

2. Tópos di ascendenza oraziana (*Od.* IV 13 20 «quae me surripuerat
mihi») impiegato pure in *Eleg.* V 17-18 «illa / dextera quae miserum me mihi
subripuit»; sul versante volgare cfr. almeno PULCI, *Morgante* XVI 30 1-4
«Come hai tu consentito che costei / m'abbi cosí rubato da me stesso ...?».
- *porge*: sottint. 'te' ogg.
3-4. Cfr. *Octavia* (all'epoca saldamente legata al corpus senechiano) II
564-65 «iuventa gignitur, luxu otio / nutritur» (Nannucci) e SENECA, *Phaedra* 134 «qui blandiendo dulce nutrivit malum» (Serafini), per cui la Bessi
ha supposto la mediazione di BOCCACCIO, *Fiammetta* I «chi con lunghi pensieri e lusinghe il nutrica ...»; e si ricordi anche PETRARCA, *Tr. Cupid.* I 82
«Ei nacque d'ozio e di lascivia umana» (riecheggiato pure a I 11 7), cui si
rifaceva, ad es., lo stesso PICO, son. *Quando nascesti Amor?* 3-4: «Di un
ardore / ch'ozio e lascivia in sé rinchiude e serra».
5. Cfr. PETRARCA, *Tr. Cupid.* I 76 «Questi è colui che 'l mondo chiama
Amore»; e si noti che la sostituzione di *vulgo errante* (*Tr. Cupid.* III 81) a
mondo risponderà all'esigenza di spostare la voce in clausola al v. 7.
6. *dolce insania*: cfr. ORAZIO, *Od.* III 4 5-6 «amabilis / insania» (Orlando). - *acuto*: avverbiale.
8. *ceca*: insiste sulla *replicatio* di cui al v. 1 e nell'incipit della precedente ottava. - *mal giocondo*: eco di LORENZO, son. *Tanto crudel* 7 «volentier
segue il suo giocondo male» (*Canz.* I).

14   L'ottava ricompare con lievi varianti in *Orfeo* 277-84.
1. *meschin*: riprende la voce identica del v. 1 della stanza prec. - *cangia
voglia*: 'subordina il proprio desiderio' a quello della donna: cfr. PETRAR-
CA, *RVF* CCCLX 42 (pure in rima con *spoglia*) e Lorenzo, canz. *Il tempo
fugge* 33 (*Canz.* XLIX).
2. *s'allegra o dole*: forse eco della clausola petrarchesca «s'allegra e teme» (*RVF* CCXLV 13).
3. *per lei*: si noti l'anafora.

o crede a sui sembianti, a sue parole!
Ché sempre è piú leggier ch'al vento foglia,
e mille volte el dí vuole e disvuole:
segue chi fugge, a chi la vuol s'asconde,
e vanne e vien, come alla riva l'onde.

15   Giovane donna sembra veramente
quasi sotto un bel mare acuto scoglio,
o ver tra fiori un giovincel serpente
uscito pur mo' fuor del vecchio scoglio.
Ah quanto è fra' piú miseri dolente
chi può soffrir di donna il fero orgoglio!
Ché quanto ha il volto piú di biltà pieno,
piú cela inganni nel fallace seno.

16   Con essi gli occhi giovenili invesca
Amor, ch'ogni pensier maschio vi fura;

5-6. Il motivo misogino trovava fondamento in VIRGILIO, *Aen.* IV
569-70 «Varium et mutabile semper / femina», tradotto da PETRARCA, *RVF*
CLXXXIII 12; e vedi pure l'ottava *Fondo le mie speranze in fragil vetro* (attr.
a Petrarca) 7-8 «Ella è piú leggier ch'al vento foglia / e mille volte al giorno
cangia voglia» (*Disperse*, ed. Solerti; Firenze, 1909, 285 - riscontro effet-
tuato da Nannucci), oltre che BOCCACCIO, *Filostrato* I 22 2-6 «Ché come
al vento si volge la foglia, / cosí 'n un dí ben mille volte il core / di lor si
volge, né curan di doglia / che per lor senta alcun loro amadore, / né sa alcuna quel ch'ella si voglia» (Lo Cascio). - *vuole e disvuole*: cfr. DANTE, *Inf.*
II 37.

15   1-2. Eco dell'incipit petrarchesco *Giovene donna sotto un verde lauro*
(*RVF* XXX). - *acuto*: 'aguzzo'.
3. Diffusa immagine di ascendenza virgiliana (*Buc.* III 92-93), accolta
anche da DANTE (*Inf.* VII 84) e PETRARCA (*RVF* XCIX 6 e *Tr. Cupid.* III
157).
4. Immagine tratta dai bestiari; cfr. almeno BOCCACCIO *Dec.* VIII 7 « ...
che faccia la serpe lasciando il vecchio cuoio», e PULCI, *Morgante* XIV 83
3-4 «La serpe si vedea prudente e mastra / tra sasso e sasso della scoglia
uscire». - *scoglio*: nell'accezione dantesca di 'pelle', in rima in *Purg.* II 122;
qui in rima equivoca.
6. *può soffrir*: 'si adatta a sopportare'.

16   1. *essi*: va con *occhi*. - *invesca*: intr., 'cattura', diffusa clausola petrarchesca, *RVF* CLXV 5; per altri esempi GDLI s. v. *Inviscare* 4.
2. Cfr. PETRARCA, *Tr. Cupid.* IV 105.

e quale un tratto ingoza la dolce esca
mai di sua propria libertà non cura;
ma, come se pur Lete Amor vi mesca,
tosto oblïate vostra alta natura;
né poi viril pensiero in voi germoglia,
sí del proprio valor costui vi spoglia.

17   Quanto è piú dolce, quanto è piú securo
seguir le fere fugitive in caccia
fra boschi antichi fuor di fossa o muro,
e spïar lor covil per lunga traccia!
Veder la valle e 'l colle e l'aer piú puro,
l'erbe e' fior', l'acqua viva chiara e ghiaccia!

3. *quale ... esca*: 'chi una volta abbocca all'amo gettatogli da Amore'.
4. È la constatazione dell'alienazione indotta dall'amore; anche Troiolo, prima di caderne vittima a sua volta, derideva i soggetti a Cupido: «Quel dolente ha dato bando / alla sua libertà» (*Filostrato* I 21 5-6).
5. *Lete*: metonimia, l'acqua del fiume omonimo procurava l'oblio.
6. *alta*: 'nobile', come a I 3 3 e 6. - *natura*: 'indole'.
7. *viril pensiero*: è variante di *pensier maschio*, al v. 2.
8. *proprio valor*: insiste sull'espropriazione della personalità come *propria libertà* al v. 4. - *vi spoglia*: è variante di *vi fura* al v. 2 e riprende la voce già in rima a I 14 3.

17   1-2. La clausola è dantesca, *Purg.* VI 15; ma cfr. soprattutto LORENZO, *Corinto* 84 «a seguir fere fuggitive in caccia» (Sapegno) pure in rima con *traccia*. Il motivo è topico nell'elogio della vita rustica (cfr. ad es. BOCCACCIO, *Ameto* V «Questa ninfa segue le cacce; e io il quale, cresciuto nelle selve, sempre con l'arco e con le mie saette ho seguito le salvatiche fiere...») e nel genere delle cacce (*Caccia di Belfiore* 6 8 «del selvaggiume seguitar la traccia»). Per l'inclinazione venatoria di Giuliano si veda il *Coniurationis commentarium*: «venatu mirum in modum delectari solitus» (ed. Perosa 63).
3. *fossa o muro*: di recinzione della città; il binomio, già dantesco (*Purg.* VI 84), era diffuso: FAZIO DEGLI UBERTI, *Dittamondo* VI 6 19 e 7 31, ecc.
4. *spïar*: 'andar cercando'. - *covil*: 'tana', ma potrebbe trattarsi anche di un plur.
5-7. Analoga scena ritratta in *Eleg.* XII 7-14 «Et modo pascentes speculor de colle juvencas, / nunc repeto ductus prosilientis aquae, / ... aut varios cantu procul allicere volucres / captamus». - *l'aer piú puro*: forse meglio la lezione della princeps con «aere» bisillabo e senza «piú», in ossequio alla clausola dantesca di *Purg.* XV 145 «Questo ne tolse li occhi e l'aere puro».

Udir gli augei svernar, rimbombar l'onde,
e dolce al vento mormorar le fronde!

18   Quanto giova a mirar pender da un'erta
le capre, e pascer questo e quel virgulto;
e 'l montanaro all'ombra piú conserta
destar la sua zampogna e 'l verso inculto;
veder la terra di pomi coperta,
ogni arbor da' suoi frutti quasi occulto;
veder cozzar monton', vacche mughiare
e le biade ondeggiar come fa il mare!

- *ghiaccia*: attributo canonico dell'acqua fin da Guido delle Colonne, canz.
Ancor che l'aigua 12. - *augei ... l'onde*: cfr. PETRARCA, *Tr. Cupid.* IV 121-22.
- *svernar*: 'cantar all'arrivo della primavera'; latinismo dantesco, non raro
nella poesia pastorale quattrocentesca, cfr. F. AGENO in «Lingua Nostra»,
XIII (1952), 43 sgg.
    8. *mormorar le fronde*: cfr. PETRARCA, *RVF* CXCVI 1-2; quasi scontata
entro il codice petrarchesco la rima *onde-fronde*.

18   Si noti la ripresa dell'incipit dell'ottava precedente nell'esordio di
questa.
    1-2. Cfr. VIRGILIO, *Buc.* I 74-76 «ite capellae. / Non ego vos posthac
viridi proiectus in antro / dumosa pendere procul de rupe videbo» (Nannucci). - *giova*: latinismo, 'piace' (Ghinassi 109). - *pender*: «è vocabolo proprio della poesia latina nel descrivere capre che pascolano sui greppi»
(Ghinassi 94), introdotto forse in volgare dalla versione delle *Bucoliche* ad
opera di Bernardo Pulci, I 125-28, conservando il valore di termine tecnico della poesia pastorale; cfr. anche GIROLAMO BENIVIENI, *Egloghe* II
164-65 «et come errando paschino / le gregge allor, che per le ripe pendo-
no». - *pascer*: trans.
    3. *conserta*: 'fonda, spessa', per l'intrico dei rami.
    4. *verso inculto*: cfr. ORAZIO, *Epist.* II 1 233 «incultis ... versibus»
(Sapegno).
    5. *pomi*: in rapporto di sinonimia con i *frutti* del verso successivo.
    6. *occulto*: 'nascosto'.
    7-8. Si noti la struttura analoga al distico finale della stanza precedente.
- *cozzar monton*: immagine attestata nella poesia realistica, IMMANUEL RO-
MANO, *Del mondo ho cercato* 167-68 «e grossi montoni» / vedut'ho cozza-
re» (ed. Vitale in *Rimatori comico realistici del Due e del Trecento*, Torino,
1965², 560). - *mughiare*: 'muggire'. - *biade ondeggiar*: memorizza probabilmente BOCCACCIO, *Dec.* intr. «e i campi pieni di biade non altramenti ondeggiare che il mare» (D. De Robertis).

19   Or delle pecorelle il rozo mastro
      si vede alla sua torma aprir la sbarra;
      poi quando muove lor con suo vincastro,
      dolce è a notar come a ciascuna garra.
      Or si vede il villan domar col rastro
      le dure zolle, or maneggiar la marra;
      or la contadinella scinta e scalza
      star coll'oche a filar sotto una balza.

20   In cotal guisa già l'antiche genti
      si crede esser godute al secol d'oro;
      né fatte ancor le madre eron dolenti
      de' morti figli al marzïal lavoro;
      né si credeva ancor la vita a' venti,

---

19   1. *mastro*: appellativo virgiliano (*Buc.* II 33, III 101), nella forma in
rima (con *vincastro*) in DANTE, *Inf.* XXIV 16, luogo che individua una precisa componente dell'ispirazione da cui muove qui la ricerca della rima aspra.
   2. *sbarra*: che chiude l'ovile.
   3. Cfr. DANTE, *Inf.* XXIV 14-15 «e prende suo vincastro, / e fuor le pecorelle a pascer caccia», incrociato con PETRARCA, *RVF* L 29-34 «Quando
vede 'l pastor calare i raggi ... e co l'usata verga ... move la schiera sua soavemente».
   4. *garra*: 'richiami', in rima anche in DANTE, *Inf.* XV 92 e *Par.* XIX 147,
e in PULCI, *Morgante* XVII 101 5.
   5. *villan*: è variante del dantesco «villanello» (*Inf.* XXIV 7). - *rastro*: 'ra-
strello'; calco dal virgiliano «rastris terram domat» (*Aen.* IX 608).
   6. *marra*: grossa zappa; cfr. DANTE, *Inf.* XV 96 «e 'l villan la sua marra» (pure in rima) e BOCCACCIO, *Dec.* IX 4 «con vanga e chi con marra nella
strada paratisi». Si noti la clausola di verso allitterante.
   7-8. Reminiscenza di PETRARCA, *RVF* XXXIII 5-6 «levata era a filar
la vecchiarella, / discinta e scalza», con dislocazione in clausola della dittologia analogamente al quattrocentesco autore di *Ore estive* 29 «alcuna pa-
sturella scinta e scalza», pure in rima con *balza* (ed. Zanato, in AA.VV.,
La critica del testo, Roma, 1985, 482).

---

20   1-2. Evocazione del mito dell'età dell'oro, sotto il regno di Saturno.
- *esser godute*: 'aver goduto', costruzione latineggiante (gavisas esse) già boccacciana, *Dec.* IV 1 («di lui lungamente goduta sono») e 3 («poco de' loro
amori essendo goduti ... buona pezza goduti n'erano»).
   3-4. Cfr. VIRGILIO, *Geor.* II 538-40. - *marzïal lavoro*: è il «grave Martis
opus» di *Aen.* VIII 516 (Carducci).
   5. *né si credeva ... a' venti*: 'non si navigava ancora', con il latinismo
credeva = affidava; per l'immagine vedi Ghinassi 103, e si aggiunga il rin-

né del giogo doleasi ancor il toro;
lor case eron fronzute querce e grande,
ch'avean nel tronco mèl, ne' rami ghiande.

21   Non era ancor la scelerata sete
        del crudele oro entrata nel bel mondo;
        viveansi in libertà le genti liete,
        e non solcato il campo era fecondo.
        Fortuna, invidiosa a lor quïete,
        ruppe ogni legge, e pietà misse in fondo;
        lussuria entrò ne' petti e quel furore
        che la meschina gente chiama amore».

vio ad un brano ovidiano che P. mostra di aver presente anche al v. 8, ossia
Met. I 132 «vela dabat ventis»; affine anche *Manto* 212 «iratis audens se
credere ventis».

    6. *né ... ancor*: si noti il parallelismo col verso prec.

    7-8. *fronzute*: 'frondose', agg. diffuso da BOCCACCIO, ad es. *Ameto* III
«sotto una fronzuta quercia», V «ristretti da fronzuta ghirlanda di ghiandi-
fera quercia», ecc. - *ch'avean nel tronco mèl*: Nannucci ha indicato per primo i riscontri con OVIDIO, *Met.* I 112 «flavaque de viridi stillabant ilice
mella» e con VIRGILIO, *Buc.* IV 30 «et durae quercus sudabunt roscida
mella».

21   1-2. Adattamento dell'ovidiano «Protinus inrupit venae peioris in aevum / omne nefas, fugitque pudor verumque fidesque» e «ferroque nocen-
tius aurum / prodierat» (*Met.* I 128-29 e 141-42). - *crudele*: 'che induce alla
crudeltà'.

    3. *genti*: di cui al v. 1 dell'ottava prec.

    4. Cfr. OVIDIO, *Met.* I 101-2 «Ipsa quoque immunis rastroque intacta
nec ullis / saucia vomeribus per se dabat omnia tellus» e 109 «mox etiam
fruges tellus inarata ferebat»; il motivo è ripreso anche da LORENZO, *Selve*
I 85 1-4 «La terra liberal dava la vita / comunemente in quel bel tempo
a tutti; / non da vomero o marra ancor ferita, / produceva frumenti e vari
frutti».

    5. *invidiosa*: regge il dat. secondo l'uso latino; l'inciso favorisce la diale-
fe dopo *Fortuna*.

    6. *misse in fondo*: 'distrusse'.

    7-8. Insiste sul concetto espresso a I 13 3-6; cfr. OVIDIO, *Met.* I 130-31
«in quorum subiere locum fraudesque dolusque / insidiaeque et vis et amor
sceleratus habendi» (Nannucci), incrociato con BOCCACCIO, *Fiammetta* I «il
quale, per furore, Amore è chiamato» (Bessi); e si osservi l'uso relativamente
libero della fonte a significare non l'amore per la ricchezza bensí quello per
la bellezza, attuando cosí il ritorno dalla breve digressione sull'età dell'oro
alla vicenda amorosa di Iulio.

22   In cotal guisa rimordea sovente
           l'altero giovinetto e sacri amanti,
           come talor chi sé gioioso sente
           non sa ben porger fede alli altrui pianti;
           ma qualche miserello, a cui l'ardente
           fiamme struggeano i nervi tutti quanti,
           gridava al ciel: «Giusto sdegno ti muova,
           Amor, che costui creda almen per pruova».

23   Né fu Cupido sordo al pio lamento,
           e 'ncominciò crudelmente ridendo:
           «Dunque non sono idio? dunque è già spento
           mie foco con che il mondo tutto accendo?
           Io pur fei Giove mughiar fra l'armento,
           io Febo drieto a Dafne gir piangendo,
           io trassi Pluto delle infernal segge:
           e che non ubidisce alla mia legge?

22   1. Per l'attacco cfr. I 20 1. - *rimordea*: 'rimproverava' come in BOC-
CACCIO, *Dec.* concl. «e considerato che le prediche fatte da' frati per ri-
morder delle lor colpe gli uomini ...».
  2. *altero*: il medesimo epiteto assegnatogli a I 10 2. - *sacri*: perché devoti ad
Amore.
  5. *miserello*: cfr. I 12 2 e 58 7.
  8. Eco della teoria stilnovistica sull'esperienza diretta dell'amore (CA-
VALCANTI, canz. *Donna me prega* 53 «imaginar nol pote om che nol prova»; DANTE, son. *Tanto gentile* 10-11 «una dolcezza al core / che 'ntender
no·lla può chi no·lla prova»), passata in PETRARCA, *RVF* I 7 («ove sia chi
per prova intenda amore»); per cui vedi anche PULCI, *Morgante* XVI 56 7-8
«ma priego Amor che qualche ingegno truovi, / acciò che tu mi creda, che
tu 'l pruovi».

23   1. *pio*: piú che 'devoto' direi 'tale da muovere a pietà'.
  4. *foco*: della passione. - *con che ... accendo?*: probabile eco di DANTE,
Par. XX 1 «Quando colui che tutto 'l mondo alluma».
  5. *fra l'armento*: in forma di toro per concupire Europa; cfr. CLAUDIA-
NO, *Epith. Hon.* 112-13 «iterumne Tonantem / inter sidonias cogis mugi-
re iuvencas?» (Carducci), e vedi pure I 105.
  6. *drieto ... gir*: 'seguire Dafne', di cui era innamorato; si noti che la metatesi in *drieto* è costante (I 23 6, 37 1, 68 7, e II 10 3).
  7. *delle infernal segge*: 'dagli scanni dell'inferno' per rapire Proserpina;
quanto al sost. vedi Tommaseo-Bellini s. v. *Seggia*.
  8. *che*: 'quid'.

24   Io fo cadere al tigre la sua rabbia,
     al leone il fer rughio, al drago il fischio;
     e quale è uom di sí secura labbia,
     che fuggir possa il mio tenace vischio?
     Or, ch'un superbo in sí vil pregio m'abbia
     che di non esser dio vegna a gran rischio?
     Or veggiàn se 'l meschin ch'Amor riprende,
     da dua begli occhi se stesso or difende».

25   Zefiro già, di be' fioretti adorno,
     avea de' monti tolta ogni pruina;
     avea fatto al suo nido già ritorno
     la stanca rondinella peregrina;
     risonava la selva intorno intorno

---

24   1. *tigre*: masch. come a I 87 4 (ma I 39 1 femm.) e come in PULCI, *Morgante* XXVII 74 6 o in LORENZO, *Selve* I 25 7.

    2. *rughio*: 'ruggito'. - *al drago il fischio*: cfr. PULCI, *Morgante* XIV 82 7-8 «Poi si vedea col fero sguardo e fischio / uccider chi il guardava il bavalischio».

    3. *secura labbia*: 'ardito volto', col sost. in accezione dantesca, in rima in *Inf.* VII 7, XIV 67, XXV 21, e *Purg.* XXIII 47.

    4. *tenace vischio*: clausola petrarchesca, *RVF* XL 3.

    5. *pregio*: 'stima'.

    6. *di non esser dio*: 'di perdere le proprietà del dio' per l'inossequiente comportamento di Iulio.

    7. *Or*: si osservi l'anafora, ripresa quasi in clausola al verso finale dell'ottava. - *riprende*: 'biasima' e quasi 'vilipende'.

    8. *begli occhi*: di Simonetta, attraverso i quali Cupido si propone di trafiggere il cuore di Iulio (cfr. I 42 1-2 e 44 1-2).

25   1-2. Analoga mossa in *Rusticus* 173-74, ma qui il début printanier tesaurizza il piú trito PETRARCA, *RVF* CCCX 1-2 «Zefiro torna e 'l bel tempo rimena / e i fiori e l'erbe, sua dolce famiglia», incrociato con IX 6 «di fioretti adorna» (verbo). - *pruina*: diffuso latinismo, 'brina'.

    4. Adattamento di PETRARCA, *RVF* L 5 «la stanca vecchiarella pellegrina» alla dantesca *rondinella* (*Purg.* IX 13-17 «Nell'ora che comincia i tristi lai / la rondinella presso alla mattina, / ... peregrina / piú dalla carne e men da' pensier' presa»).

    5. *intorno intorno*: l'iterazione in clausola tradisce l'eco di un brano dantesco in cui compaiono le stesse parole-rima, *Par.* XXX 109-114 «E come clivo in acqua di suo imo / si specchia, quasi per vedersi adorno, / quando è nel verde e ne' fioretti opimo, / sí, soprastando al lume intorno intorno, / vidi specchiarsi in piú di mille soglie / quanto di noi là su fatto ha ritorno».

soavemente all'ôra mattutina;
e la ingegnosa pecchia al primo albore
giva predando ora uno or altro fiore.

26   L'ardito Iulio, al giorno ancora acerbo,
      allor ch'al tufo torna la civetta,
      fatto frenare il corridor superbo,
      verso la selva con sua gente eletta
      prese el cammino (e sotto buon riserbo
      seguia de' fedel can' la schiera stretta),
      di ciò che fa mestieri a caccia adorni,
      con archi e lacci e spiedi e dardi e corni.

6. ôra: 'brezza', frequente in PETRARCA; per l'intera clausola vedi DAN-
TE, *Purg.* I 115.

7-8. L'immagine dell'ape che con l'avvento della primavera riprende la
sua opera è di derivazione classica (VIRGILIO, *Geor.* IV 51-54; e anche OVI-
DIO, *Ars am.* I 95-96); in volgare, oltre a FAZIO DEGLI UBERTI, *Dittamondo* I 5 71-74, vedi LORENZO, canz. *Quando raggio di sole* 7-8, dove il tepore
estivo induce le api ad uscire dall'alveare «predando disïose or quella or
questa / spezie di fior', di che la terra è adorna» (*Canz.* CXVII) e *Selve* I
21 5-6, ove analogamente si vedono «lasciar le pecchie i casamenti vecchi, / liete di fior in fior ronzando gire».

26   1. *al giorno ... acerbo*: 'all'alba', rieccheggia PETRARCA, *RVF* CXC 4
«a la stagione acerba».

2. Cfr. *Uccellagione di starne* I 7-8 «ritornavansi al bosco molto in fretta / l'allocco e 'l barbagianni e la civetta» (Carducci). - *tufo*: «nei cui an-
fratti abita» (Contini).

3. *corridor*: consueto nel '400 per 'cavallo', cfr. I 8 6 e 38 3, II 6 2. -
frenare: qui, a differenza di I 8 6, vale 'mettere il freno, bardare'.

4. *gente eletta*: i 'compagni prescelti'; in clausola, al plurale, anche in
DANTE, *Purg.* XXIX 90.

5. *buon riserbo*: 'buona guardia'.

6. *stretta*: 'serrata', cfr. VIRGILIO, *Aen.* IV 136 dove Didone «progredi-
tur magna stipante caterva».

7. Cfr. *Caccia di Belfiore* 23 4-5 «sendo ciascun fornito a compimento /
di ciò che fa mestier poter ferire». - *adorni*: riferito a Iulio ed alla sua compagnia.

8. Amplificazione dell'accumulazione virgiliana, *Aen.* IV 131 «retia rara, plagae, lato venabula ferro».

27   Già circundata avea la lieta schiera
il folto bosco, e già con grave orrore
del suo covil si destava ogni fera;
givan seguendo e bracchi il lungo odore,
ogni varco da lacci e can' chiuso era;
di stormir d'abbaiar cresce il romore,
di fischi e bussi tutto il bosco suona,
del rimbombar de' corni el cel rintruona.

28   Con tal romor, qualor piú l'aer discorda,
di Giove il foco d'alta nube piomba;
con tal tumulto, onde la gente assorda,
dall'alte cataratte il Nil rimbomba;

---

27   1-2. Si costruisca: 'la lieta schiera aveva già circondato ...' - *lieta schiera*: Iulio ed i suoi compagni. - *folto bosco*: junctura topica. - *orrore*: 'paura', cfr. Ghinassi 109.

3. Cfr. I 30 7.

4. *il lungo odore*: 'la lunga scia lasciata dall'odore', per cui cfr. I 17 4 e VIRGILIO, *Aen.* IV 132 «Massylique ruunt equites et odora canum vis».

5. Cfr. VIRGILIO, *Aen.* IV 121 «saltusque indagine cingunt» e APULEIO, *Met.* VIII 4 dove i cani «totos praecingunt aditus»; oltre che BOCCACCIO, *Caccia di D.* II 51-53 «avevan fatto con reti riparo / acciò che nulla fiera ad alcun passo / lor potesse fuggir sanza esser presa».

6-7. Cfr. VIRGILIO, *Aen.* V 149 «consonat omne nemus» (Nannucci), memorizzato probabilmente anche in *Rusticus* 256 «boat omne nemus»; ma vedi pure OVIDIO, *Met.* VIII 340-41 «propulsa fragorem / silva dat». - *stormir*: cfr. Dante, *Inf.* XIII 112-14 «similemente a colui che venire / sente 'l porco e la caccia alla sua posta, / ch'ode le bestie, e le frasche stormire». - *bussi*: 'colpi', cfr. *Caccia di Belfiore* 23 7 «bussando qua e là com'è usanza».

8. Cfr. VIRGILIO, *Aen.* IX 541 «et coelum tonat omne fragore» (Nannucci).

28   1. *discorda*: 'è in tempesta', cfr. Ghinassi 103.

3-4. Cfr. PETRARCA, *RVF* XLVIII 9-10 «sí come 'l Nil d'alto caggendo / col gran suono i vicin' d'intorno assorda», la cui fonte è CICERONE, *Somnium Scipionis* V, ripreso anche da LORENZO nella prosa esplicativa posposta al son. VIII del *Comento*, e rimbalzato fin nel repertorio mitologico compilato da LUIGI PULCI: «Nilo: è uno fiume che dove e' cade assorda le genti vicine per il busso» (in Carrai, *Le muse dei Pulci* 51). - *cataratte*: termine tecnico che «con tutta probabilità entrava per la prima volta nel volgare proprio in questi anni con la traduzione della *Historia Naturalis* di Plinio il Vecchio, fatta da parte di C. Landino» (Ghinassi 100).

con tale orror, del latin sangue ingorda,
sonò Megera la tartarea tromba.
Qual animal di stiza par si roda,
qual serra al ventre la tremante coda.

29   Spargesi tutta la bella compagna,
altri alle reti, altri alla via piú stretta;
chi serba in coppia e can' chi gli scompagna,
chi già 'l suo ammette, chi 'l richiama e alletta;
chi sprona il buon destrier per la campagna,
chi l'adirata fera armato aspetta,
chi si sta sovra un ramo a buon riguardo,
chi in man lo spiede e chi s'acconcia el dardo.

30   Già le setole arriccia e arruota e denti
el porco entro 'l burron; già d'una grotta

5-6. Rinvia all'episodio di *Aen*. VII 511-15 dove si narra però di Aletto,
sorella di Megera, che provoca alla battaglia Troiani e Latini, e in particolare v. 514 «tartaream intendit vocem». Per *tartarea* ('infernale') vedi anche *Orfeo* 157.
    8. *la tremante coda*: cfr. *Sylva in scabiem* 75 « tremulae nunc verbere cau-
dae» (pure in clausola); l'immagine era già in ESIODO, *Opere e giorni* 512
(Bessi) e in VIRGILIO, *Aen*. XI 812-13 «caudamque remulcens / subiecit pa-
vitantem utero» (Sapegno).

29   1. *compagna*: 'compagnia', forma non rara nel fiorentino quattrocentesco; cfr. II 39 3.
    2. *altri alle reti*: cfr. OVIDIO, *Met*. VIII 331 «pars retia tendunt».
    3. Cfr. OVIDIO, *Met*. VIII 332 «vincula pars adimunt canibus» (Nan-
nucci) e *Uccellagione di starne* 14 8 «El canattiere a' can' leva la coppia».
- *scompagna*: rima derivativa.
    4. *ammette*: 'aizza', cfr. Ghinassi 99 e GDLI s. v. *Ammettere* 8. - *richia-
ma e alletta*: dittologia sinonimica, cfr. *Uccellagione di starne* 15 5-6 «se non
pur che 'l canattier gli alletta, / chiamando alcuno e a chi scuote il pesco».
    5. *campagna*: rima, ricca.
    6. *adirata*: 'infuriata'.
    7. *a buon riguardo*: 'per non correre rischi'.
    8. *spiede*: per metaplasmo di declinazione.

30   1-2. Oltre a ESIODO, *Scudo d'Ercole* 170-71 e 391, APOLLONIO RO-
DIO, *Argonautica* I, e VIRGILIO, *Aen*. X 726 e XII 868 (ma si tratta rispett.

spunta giú 'l cavrïuol; già e vecchi armenti
de' cervi van pel pian fuggendo in frotta;
timor gl'inganni della volpe ha spenti;
le lepri al primo assalto vanno in rotta;
di sua tana stordita esce ogni belva;
l'astuto lupo vie piú si rinselva,

31   e rinselvato le sagace nare
del picciol bracco pur teme il meschino;
ma 'l cervio par del veltro paventare,
de' lacci el porco o del fero mastino.
Vedesi lieto or qua or là volare
fuor d'ogni schiera il gioven peregrino;
pel folto bosco el fer caval mette ale,
e trista fa qual fera Iulio assale.

di un leone e di Turno), in cui Nannucci rintracciava il manipolo di autori
da cui P. potrebbe aver ricavato l'immagine, Ghinassi ha segnalato il cinghiale «setis insurgentibus spinae hispidus» di APULEIO, *Met.* VIII 4; e vedi inoltre I 86 5-8 e n. -*porco*: 'cinghiale'.
   2-4. *già d'una ... in frotta*: calco di VIRGILIO, *Aen.* IV 152-55 «ecce fe-
rae saxi deiectae vertice caprae / decurrere iugis; alia de parte patentis / trans-
mittunt cursu campos atque agmina cervi / pulverulenta fuga glomerant mon-
tisque relinquont» (Carducci). - *vecchi*: perché notoriamente longevi, secondo una tradizione che rimonta a PLINIO, *Nat. Hist.* VIII 32. - *fuggendo
in frotta*: si noti il gusto per la clausola allitterante, e cfr. I 89 1.
   7. Cfr. I 27 3.
   8. *si rinselva*: 'si rifugia nel bosco'; in rima, ma in altra accezione, con
belva anche in DANTE, *Purg.* XIV 66, e vedi anche IACOPO DE' BONINSE-
GNI, *Egloghe* III 242-43 «anzi non è nissuna / che al guardo di lei non si
rinselve» (in rima con *belve*).

31   1. *rinselvato*: collegamento con la stanza prec. al modo delle *coblas
capfinidas*. - *sagace nare*: epiteto classico dell'odorato canino per cui Carducci rinviava a SENECA, *Phaedra* 40 e a CICERONE, *De div.* I 65.
   4. *porco*: cfr. il v. 2 dell'ottava prec. e n.
   5-8. Cfr. VIRGILIO, *Aen.* IV 156-57 «At puer Ascanius mediis in valli-
bus acri / gaudet equo, iamque hos cursu, iam praeterit illos». - *gioven peregrino*: formula diffusa nel Quattrocento per 'giovane di rara virtú', in clausola
anche in *Caccia di Belfiore* 7 7; FILIPPO LAPACCINI, *Armeggeria* III 19; PUL-
CI, *Giostra* 38 3; ecc. - *fer*: replica l'agg. del v. 4 ed anticipa in posizione
ritmicamente identica il sost. del verso successivo, a sottolineare il carattere belluino della scena e secondo un artificio perseguito pure nelle ottave
successive (32 2 e 5, 33 1 e 7, 34 5, 35 5, 37 8, 38 1-2). - *mette ale*: equivale
al *volare* del v. 5.

32   Quale el centaur per la nevosa selva
           di Pelio o d'Emo va feroce in caccia,
           dalle lor tane predando ogni belva:
           or l'orso uccide, or al lïon minaccia;
           quanto è piú ardita fera piú s'inselva,
           e 'l sangue a tutte drento al cor s'aghiaccia,
           la selva trema e gli cede ogni pianta,
           gli arbori abbatte o sveglie, o' rami schianta.

33   Ah quanto a mirar Iulio è fera cosa
           romper la via dove piú 'l bosco è folto
           per trar di macchia la bestia crucciosa,
           con verde ramo intorno al capo avolto,
           colla chioma arruffata e polverosa,
           e d'onesto sudor bagnato il volto!
           Ivi consiglio a sua fera vendetta
           prese Amor, che ben loco e tempo aspetta;

---

32   1-3. Per la similitudine vedi VIRGILIO, *Aen.* VII 674-76 «ceu duo nu-
bigenae cum vertice montis ab alto / descendunt centauri, Homolen Oth-
rymque nivalem / linquentes cursu rapido» (Carducci). - *Pelio*: monte della
Tessaglia abitato da centauri al pari della catena dell'Emo in Tracia.
     4. *al lïon minaccia*: per il costrutto latineggiante cfr. Ghinassi 56.
     5. *s'inselva*: rima derivativa, cfr. I 30 7-8.
     6. Cfr. I 56 3-4 e n.
     7. Cfr. VIRGILIO, *Aen.* VII 514-15 «qua protinus omne / contremuit ne-
mus et silvae insonuere profundae» e 676-77 «dat euntibus ingens / silva
locum, magno cedunt virgulta fragore» (Carducci).
     8. *sveglie*: 'svelle, sbarba'. - *o' rami schianta*: cfr. DANTE, *Inf.* IX 70.

33   1. L'andamento è quello di DANTE, *Inf.* I 4 «Ah quanto a dir qual
era è cosa dura», incrociato con *Inf.* XXI 31 «Ahi quant'elli era nell'aspetto fero».
     2. Sembra trasferire a Iulio l'incedere del cinghiale caledonio presso OVI-
DIO, *Met.* VIII 340 «sternitur incursu nemus»; e per il verbo, oltre a DAN-
TE, *Inf.* XIII 117, si ricordino le occorrenze boccaccesche (*Caccia di D.* VII
40, *Teseida* VII 119 6) rintracciate dalla Bessi in contesti analoghi.
     3. *trar di macchia*: 'snidare'. - *crucciosa*: 'inferocita', cfr. I 4 4.
     4. Cfr. I 10 7-8.
     6. Simile nell'andamento a BERNARDO PULCI, cap. *Salve, diletto* 43 «di
sanguigno liquor bagnando il volto» (Lanza, II 351). - *onesto*: perché prodotto da nobili occupazioni. -*il volto*: acc. alla greca.
     7-8. Cfr. PETRARCA, *RVF* II 1-4. - *loco e tempo*: sott. opportuni, ditto-
logia tra le piú frequenti già nella lirica trobadorica.

34   e con sua man di leve aier compuose
           l'imagin d'una cervia altera e bella,
           con alta fronte, con corna ramose,
           candida tutta, leggiadretta e snella.
           E come tra le fere paventose
           al gioven cacciator s'offerse quella,
           lieto spronò il destrier per lei seguire,
           pensando in brieve darli agro martire.

35   Ma poi che 'nvan dal braccio el dardo scosse,
           del foder trasse fuor la fida spada,
           e con tanto furor il corsier mosse,

34   1-2. Branca ha avvicinato per primo questa scena a quella di *Ninfale fiesolano* 76 5-7 «veramente Iddio / con le sue man' la fe' sí leggiadretta, / e nell'andar come gru era leve»; il motivo fa aggio verosimilmente sulla formazione di altrettanto eteree figure d'eroi presso OMERO, *Iliad.* V 449 sgg. e VIRGILIO, *Aen.* X 636 sgg., sulla scorta di VALERIO FLACCO, *Argonautica* III 545-46 dove Giunone «celerem frondosa per avia cervum / suscitat» (Proto). Per la simbologia dell'animale vedi S. CICADA, *La leggenda medievale del Cervo Bianco e le origini della «matière de Bretagne»*, Atti della Acc. Naz. dei Lincei, «Memorie», Classe di Scienze Morali, Storiche e Filologiche, S. VIII, XII (1965), in part. 92-93. - *aier*: P. «usò la forma epentetica come variante bisillaba» (Ghinassi). - *altera*: anche Simonetta a I 43 4 si manifesterà con fronte «superba»; e si noti la paronomasia con *alta* del verso successivo.

3. Cfr. VIRGILIO, *Buc.* VII 30 «et ramosa Mycon vivacis cornua cervi» e *Aen.* I 184-90 «cervos ... capita alta ferentes / cornibus arboreis» (segnalati entrambi da Nannucci, cui si potrebbe aggiungere, ma con minor pertinenza, OVIDIO, *Met.* X 110-11 «ingens cervus erat lateque patentibus altas / ipse suo capiti praebebat cornibus umbras».

4. *candida*: PETRARCA, *RVF* CXC 1-2 «Una candida cerva sopra l'erba / verde m'apparve», e per l'accompagnatura BOCCACCIO, *Ninfale fiesolano* 76 8 «e bianca tutta come pura neve». - *leggiadretta*: epiteto della cerva boccacciana di cui in nota ai vv. 1-2.

5. *paventose*: 'atterrite'.

8. *darli*: indefinito. - *agro martire*: cfr. I 9 4 e n.

35   1. *scosse*: 'lasciò partire'.

2. Per l'immagine, derivante dall'epica classica, basti rinviare a VIRGILIO, *Aen.* IV 579 «vaginaque eripit ensem», ripreso alla lettera nella traduzione del IV dell'*Iliade* v. 618, e cfr. II 26 5; per l'agg. ancora *Aen.* VII 640 «fidoque accingitur ense» (Nannucci) e anche VI 524 «fidum capiti subduxerat ensem».

3. *furor*: 'impeto'.

che 'l bosco folto sembrava ampia strada.
La bella fera, come stanca fosse,
piú lenta tuttavia par che sen vada;
ma quando par che già la stringa o tocchi,
picciol campo riprende avanti alli occhi.

36 Quanto piú segue invan la vana effigie,
tanto piú di seguirla invan s'accende;
tuttavia preme sue stanche vestigie,
sempre la giunge, e pur mai non la prende:
qual fino al labro sta nelle onde stigie
Tantalo, e 'l bel giardin vicin gli pende,
ma qualor l'acqua o il pome vuol gustare,
subito l'acqua e 'l pome via dispare.

---

4. *ampia strada*: PETRARCA, *Tr. Cupid.* IV 149 definiva il regno d'Amore «carcer ove si ven per strade aperte», e Virgilio sulla soglia dell'inferno
ammoniva Dante dicendo «non t'inganni l'ampiezza dell'entrare» (V 20);
secondo Martelli, congruentemente con l'inseguimento della cerva, vana
effigie del bene terreno, P. fa dunque ricorso ad un tópos che ha le proprie
radici in Math. VII 13 «spatiosa via quae ducit ad perditionem».
    6. *tuttavia*: 'sempre'.
    8. *picciol campo*: 'breve vantaggio'.

36 1-2. Si osservi che il parallelismo dei versi marca il rapporto comparati-
vo. - *invan*: ripresa dal v. 1 della stanza prec. - *vana*: 'ingannevole', cfr.
il v. 5 dell'ottava successiva. - *s'accende*: del desiderio di seguirla, cfr. II 20 6.
    3. *tuttavia*: in rapporto di sinonimia con *sempre* al verso successivo; e
cfr. il v. 6 della stanza prec. - *preme ... vestigie*: 'incalza lo stanco animale'
(cfr. I 35 5), incrociando le reminiscenze di VIRGILIO, *Aen.* VI 197 «vestigia pressit», e di CLAUDIANO, *In Rufin.* I 73 «lassa ... vestigia» (rispett. Ghinassi e Sapegno); il sost. in rima in questa forma anche in DANTE, *Par.*
XXXI 81.
    4. *la giunge*: piú che 'la raggiunge' intenderei, dato l'imminente parago-
ne col supplizio di Tantalo, 'le si avvicina fin quasi a toccarla'; cfr. LOREN-
ZO, *Selve* I 69 3-4 in cui il cane che segue la preda «già quasi la tocca, /
pur non la giugne, e pur giugnerla spera», dove il verbo è però impiegato nella
sua accezione primaria.
    6. *'l bel giardin*: i rami carichi di frutti che gli pendono accanto, dei qua-
li non può cibarsi cosí come non può bere l'acqua che gli lambisce le labbra; accenni al «tantaleo» supplizio in *Epigr. lat.* LVIII 9-10 e LXIV 4-6.
    7-8. Conferma il gusto per il parallelismo rilevato nel distico d'apertura.
- *pome*: per metaplasmo, come a I 101 3. - *dispare*: OVIDIO, *Met.* IV 459
aveva detto a tal proposito «effugit arbor»; si noti lo zeugma.

37   Era già drieto alla sua desïanza
      gran tratta da' compagni allontanato,
      né pur d'un passo ancor la preda avanza,
      e già tutto el destrier sente affannato,
      ma pur seguendo sua vana speranza,
      pervenne in un fiorito e verde prato:
      ivi sotto un vel candido li apparve
      lieta una ninfa, e via la fera sparve.

38   La fera sparve via dalle suo ciglia,
      ma 'l gioven della fera omai non cura;
      anzi ristringe al corridor la briglia,
      e lo raffrena sovra alla verdura.
      Ivi tutto ripien di maraviglia
      pur della ninfa mira la figura:

---

37 1. *sua desïanza*: gallicismo, l'oggetto del proprio desiderio, come in
BOCCACCIO, *Teseida* IX 50 8 «poi che perduta avea sua disianza»; il sin-
tagma era già in DANTE, *Par.* XXXIII 15, ma con diverso significato (vedi
Ghinassi 113).

   2. *tratta*: femm. come in DANTE, *Purg.* XV 20 «igual tratta».

   3. *avanza*: 'supera in velocità, rimonta'.

   4. *affannato*: 'affaticato', come in BOCCACCIO, *Filocolo* I 17 «però che
i loro cavalli, freschi e possenti, assai tosto sopragiugnerebbono i nostri,
affannati».

   5. *vana*: cfr. v. 1 dell'ottava prec.

   7. *sotto un vel candido*: simbolo della castità; ricorda l'abbigliamento di
Criseida nel *Filostrato* boccacciano I 26 7 e 38 7 «sotto candido velo in bru-
na vesta», riecheggiato tra l'altro nell'incipit di un madrigale di GIOVANNI
DE' PIGLI, *Sotto candidi veli in bruna vesta*, datato 1437 (Lanza, II 268).

   8. *e via la fera sparve*: ricorda l'explicit del sonetto petrarchesco sulla candida cerva, *RVF* CXC 14 «et ella sparve»; si noti anche il parallelismo con
la chiusa dell'ottava prec.

---

38 1. *sparve*: nuovo collegamento sul tipo delle coblas capfinidas. - *ciglia*:
metonimia per 'occhi', cfr. I 43 8 e 67 1; II 9 4, 13 4 e 38 4.

   2. *fera*: si noti l'ulteriore e ravvicinata replicatio.

   3. *corridor*: cfr. I 8 6 e 26 3, e II 6 2. - *ristringe*: 'tira'.

   4. *raffrena*: 'fa fermare', cfr. I 26 3.

   5. Riecheggia forse PETRARCA, *Tr. Cupid.* III 1 «Era già pieno il cor di
meraviglia».

   6. *pur*: 'soltanto'.

parli che dal bel viso e da' begli occhi
una nuova dolcezza al cor gli fiocchi.

39   Qual tigre, a cui dalla pietrosa tana
ha tolto il cacciator li suoi car figli,
rabbiosa il segue per la selva ircana
che tosto crede insanguinar gli artigli;
poi resta d'uno specchio all'ombra vana,
all'ombra ch'e suoi nati par somigli;
e mentre di tal vista s'innamora
la sciocca, e 'l predator la via divora.

40   Tosto Cupido entro a' begli occhi ascoso,
al nervo adatta del suo stral la cocca;

7-8. Per il concetto cfr. soprattutto DANTE, son. *Tanto gentile* 10 «che
dà per li occhi una dolcezza al core ...»; non peregrina la locuzione *dolcezza
... gli fiocchi*, cfr. ad es. ANTONIO BONCIANI, *Giardino* II 24 «che par ch'o-
gnun mille dolcezze fiocchi» (Lanza, I 309). Cfr. pure PULCI, *Morgante* XVI
21 7-8.

39   1-2. Per la scena del cacciatore che inganna la tigre col trucco dello
specchio P. avrà certo avuto presente CLAUDIANO, *De raptu Pros.* III
263-68; ma il paragone è diffuso, oltre che negli argentei (Stazio, Silio
Italico, Valerio Flacco) e nei bestiari medievali (cfr. *Ein tosco-venetianischer
Bestiarius*, hrsg. und herläuter von M. Goldstaub und R. Wendriner, Hal-
le, 1892, 307-9), anche nella lirica volgare (per una rassegna duecentesca
vedi C. DAVANZATI, *Rime*, ed. Menichetti, Bologna, 1965, LIX-LX) fino
a LORENZO, *Selve* I 131 «Sí come il cacciator, che i cari figli / astutamente
al fero tigre fura ...».
    3. *ircana*: dell'Ircania, boscosa regione dell'antica Persia proverbiale per
la presenza di tigri ferocissime.
    4. *insanguinar gli artigli*: sbranando il cacciatore; anche in LORENZO, *Sel-
ve*, I 131 5 «quasi già il giugne e insanguina gli artigli».
    5. *ombra vana*: 'immagine illusoria'.
    8. *e*: paraipotattica, ma si potrebbe leggere anche «el». - *la via divora*:
cfr. CATULLO XXXV 7 «viam vorabit» (Nannucci).

40   1. Adattamento di incipit stilnovistici: DANTE, son. *Ne li occhi porta
la mia donna Amore* (*Vita N.* XXI); CAVALCANTI, sonn. «O tu, che porti
nelli occhi sovente / Amor» e *Io vidi li occhi dove Amor si mise*; cui si aggiunga PETRARCA, *RVF* LXXI 7. E vedi *Epigr. lat.* LXII 9-10 ed *Eleg.* VII
31-32.
    2. *nervo*: dell'arco. - *cocca*: la tacca alla base della freccia; probabile la
suggestione di DANTE, *Inf.* XII 77 (in rima con *tocca*) e XVII 136.

poi tira quel col braccio poderoso,
tal che raggiugne e l'una e l'altra cocca:
la man sinistra con l'oro focoso,
la destra poppa colla corda tocca;
né pria per l'aer ronzando esce 'l quadrello,
che Iulio drento al cor sentito ha quello.

41   Ahi qual divenne! ah come al giovinetto
corse il gran foco in tutte le midolle!
che tremito gli scosse il cor nel petto!
d'un ghiacciato sudor tutto era molle;
e fatto ghiotto del suo dolce aspetto,
giammai li occhi da li occhi levar puolle;
ma tutto preso dal vago splendore,
non s'accorge el meschin che quivi è Amore.

3-4. Cfr. VIRGILIO, *Aen.* XI 859-61 «cornuque infesta tetendit / et du-
xit longe, donec curvata coirent / inter se capita» (Nannucci), cui si sovrappose forse BOCCACCIO, *Ninfale fiesolano* 47 6-8 «e poi parea ch'Amore / per
sí gran forza quell'arco tirasse / che 'nsieme le duo cocche raccozzasse» (Branca). - *cocca*: rima equivoca, 'estremità dell'arco'.
    5-6. È l'immagine di Cupido che tende il suo arco; vedi ancora VIRGI-
LIO, *Aen.* XI 861-62 «et manibus iam tangeret aequis, / laeva aciem ferri,
dextra nervoque papillam» (Nannucci), riecheggiato pure nella versione del-
l'*Iliade* IV 144-46. - *oro focoso*: la punta della freccia d'oro con cui Cupido,
secondo la tradizione, infiammava i cuori.
    7-8. Cfr. VIRGILIO, *Aen.* XI 863-64 «Extemplo teli stridorem aurasque
sonantis / audiit una Arruns haesitque in corpore ferrum» (Sapegno). - *ronzando*: cfr. I 9 3. - *quadrello*: 'dardo', cfr. II 17 1.

41   1. Contini ricorda DANTE, canz. *Amor, da che convien* 46 «Qual io
divengo, sí feruto, Amore».
    2. Immagine classica frequente anche nella lirica umanistica: VIRGILIO,
Aen. IV 66 e VIII 389-90; CATULLO XLV 16 e LXIV 92-93; SENECA, *Phaedra* 279-80. E vedi l'ode *Puella* 31-33 «quin occuper flamma gravi, / miser
miser!, quae mollibus / furtim medullis adsilit».
    3. Cfr. *Orfeo* 30.
    4. Cfr. VIRGILIO, *Aen.* III 175 «tum gelidus toto manabat corpore su-
dor» (Nannucci). - *molle*: 'bagnato', come a I 86 3.
    5. *ghiotto*: 'desideroso di vedere', come in DANTE, *Purg.* VIII 85. - *dol-
ce*: 'amabile'.
    6. *giammai ... puolle*: 'non può smettere di guardarla negli occhi'.
    7. *vago*: 'leggiadro', cfr. I 50 2 e 99 5.
    8. *quivi*: negli occhi di lei, cfr. I 40 1.

42   Non s'accorge ch'Amor lí drento è armato
          per sol turbar la suo lunga quïete;
          non s'accorge a che nodo è già legato,
          non conosce suo piaghe ancor segrete;
          di piacer, di disir tutto è invescato,
          e cosí il cacciator preso è alla rete.
          Le braccia fra sé loda e 'l viso e 'l crino,
          e 'n lei discerne un non so che divino.

43   Candida è ella, e candida la vesta,
          ma pur di rose e fior dipinta e d'erba;
          lo inanellato crin dall'aurea testa
          scende in la fronte umilmente superba.
          Rideli a torno tutta la foresta,

---

42 1. Il collegamento con l'ottava prec. sul modello delle capfinidas inaugura una breve anafora (vedi v. 3); s'intravede forse la reminiscenza di BOCCACCIO, *Filostrato* I 29 1-4 «Né s'avvedea colui, ch'era sí saggio / poco davanti in riprendere altrui, / che Amor dimorasse dentro al raggio / di quei vaghi occhi con li dardi sui» (Branca).

2. *per sol*: normale l'inversione sintattica nel fiorentino quattrocentesco.

5. *di*: causale. - *invescato*: cfr. I 16 1 e n.

7. Variatio su OVIDIO, *Met.* I 500-501 «laudat digitosque manusque / bracchiaque et nudos media plus parte lacertos» (Nannucci). - *crino*: metaplasmo di declinazione, come a I 101 2 e nella ball. *I' mi trovai, fanciulle* 8 (sempre in rima con *divino*).

8. La clausola è dantesca (*Par.* III 59), ma potrebbe rispecchiare anche quanto Landino, nel III libr. delle *Disputationes Camaldulenses*, aveva detto dello stupore di Enea di fronte a Venere: «tamen non nihil divinitatis in ea etiam sic dissimulante cognoscit» (Martelli) - ed. Lohe, Firenze, 1980, 180.

---

43 2. Cfr. I 47 3-4 e n.

3-4. Immagine topica adottata pure nell'ode *Puella* 17-18 «comas decenter pendulas / utroque frontis margine». - *inanellato*: epiteto petrarchesco (*RVF* CCLXX 62) e boccacciano (*Dec.* X 6) dei capelli ricci; nell'ode *Puella* 17-23 sostituito da una perifrasi: «comas ... quas mille crispant annuli». - *aurea testa*: clausola petrarchesca, *RVF* CCCXLIII 2. - *umilmente superba*: cfr. *Orfeo* 107; analogo gusto per l'ossimoro in PETRARCA, *RVF* CXC 5 «sí dolce superba».

e quanto può suo cure disacerba;
nell'atto regalmente è mansueta,
e pur col ciglio le tempeste acqueta.

44 Folgoron gli occhi d'un dolce sereno,
ove sue face tien Cupido ascose;
l'aier d'intorno si fa tutto ameno
ovunque gira le luce amorose.
Di celeste letizia il volto ha pieno,
dolce dipinto di ligustri e rose;
ogni aura tace al suo parlar divino,
e canta ogni augelletto in suo latino.

6. Bontempelli, seguito da Sapegno, intendeva *suo* come riferito a *foresta* del verso prec., che mitigherebbe i propri «aspetti rudi e incolti»; ma è chiaro invece che le *cure* sono le preoccupazioni di Simonetta (cfr. I 52 3) che il luogo ameno lenisce. - *disacerba*: 'attenua', sogg. la *foresta*; in rima anche in PETRARCA, *RVF* XXIII 4 e CXC 8.
7. Pure Beatrice appare a DANTE «regalmente nell'atto ancor proterva» (*Purg.* XXX 70).
8. Cfr. PETRARCA, *RVF* CXIII 11 e CCCXXV 85-86, riecheggiato anche da LORENZO, canz. *Quelle vaghe dolcezze* 36-38 (*Canz.* LXV). - *pur*: 'solo', con scarto semantico rispetto alla voce collocata in analoga sede metrica al v. 2 - *col ciglio*: 'con la dolcezza degli occhi', consueta metonimia.

44 1. Cfr. I 55 1-2 e 100 3, oltre all'ode *Puella* 26-28 «puella, cuius duplices / sub fronte amica fulgurant / Amoris arcani faces»; l'immagine (già in PROPERZIO IV 8 55) era stata diffusa da PETRARCA, *RVF* CCXXI 10 e CCLVIII 1-2. - *dolce sereno*: 'dolce azzurro', clausola petrarchesca, *RVF* CXXV 67 (e non in rima CIX 11).
2. Cfr. I 40 1 e n. - *face*: 'fiamme'.
3-4. Vedi I 2 5 e n., e cfr. PETRARCA, *RVF* CXCII 12-14. - *aier*: cfr. I 34 1 e n. - *ameno*: in rima anche a I 96 7. - *gira le luce*: frase fatta, CAVALCANTI, son. *Chi è questa che ven* 5; PETRARCA, *RVF* CXLIV 9-10, CLXXIX 5; ecc.
5. *letizia*: 'beatitudine'.
6. Cfr. il v. 2 dell'ottava prec. - *dolce*: avverbiale, replica equivocamente la voce del v. 1. - *ligustri e rose*: l'abbinamento era già in CLAUDIANO, *De raptu Pros.* II 130 «Haec graditur stellata rosis, haec alba ligustris» (Sapegno).
7. *ogni aura tace*: cfr. PETRARCA, CLXIV 1.
8. Cfr. BONAGIUNTA, canz. *Quando apar l'aulente* 3-4; *Intelligenza* 3-6; e CAVALCANTI, ball. *Fresca rosa novella* 10-11 «e cantin[n]e gli auselli / ciascuno in suo latino».

45   Sembra Talia se in man prende la cetra,
        sembra Minerva se in man prende l'asta;
        se l'arco ha in mano, al fianco la faretra,
        giurar potrai che sia Dïana casta.
        Ira dal volto suo trista s'arretra,
        e poco, avanti a lei, Superbia basta;
        ogni dolce virtú l'è in compagnia,
        Biltà la mostra a dito e Leggiadria.

46   Con lei sen va Onestate umíle e piana
        che d'ogni chiuso cor volge la chiave;
        con lei va Gentilezza in vista umana,
        e da lei impara il dolce andar soave.

45   1-4. La tecnica del paragone con exempla famosi nella descrizione o
nell'elogio della donna era consueta e torna in *Eleg.* VII 33-36 e XI 5 sgg.
(applicata eccezionalmente a Bernardo Bembo); si ricordi ad es. l'Antea pulciana, *Morgante* XV 99-102 «E' parevon di Danne i suoi crin' d'oro; / ella
pareva Venere nel volto / ... / la bianca gola e l'una e l'altra spalla / si cre-
deria che tolto avessi a Palla / ... / Proserpina parea nella cintura; / /, e Deio-
peia pareva ne' fianchi ...». - *Talia*: è, precisamente, la musa della poesia
comica. - *asta*: 'lancia'. - *se l'arco ... faretra*: cfr. BOCCACCIO, *Ninfale fiesolano* 13 3-4 dove Diana appunto «nella sinistra man l'arco portava, / e 'l
turcasso pendea dal destro fianco».
       5-6. Cfr. DANTE, son. *Ne li occhi porta* 7 «fugge dinanzi a lei Superbia
et Ira» (*Vita N.* XXI). - *trista*: 'malvagia', riferito ad *Ira*. - *basta*: 'resiste'.
       7-8. Cfr. CAVALCANTI, son. *Chi è questa che ven* 10-11 «ch'a le' s'inchi-
n'ogni gentil vertute, / e la beltate per sua dea la mostra» e DANTE, son.
Due donne in cima 3-4 «l'una ha in sé cortesia e valore, / prudenza e onestà
in compagnia» (in rima con *leggiadria*). Si noti lo zeugma.

46   1. Nel catalogo di virtú del *Tr. Pud.* petrarchesco «Onestate e Vergogna a la fronte era» (v. 79). - *umíle e piana*: dittologia sinonimica di ascendenza stilnovistica in rima anche in PETRARCA, *RVF* CCLXX 84 e
BOCCACCIO, *Ninfale fiesolano* 106 7.
       2. *d'ogni ... chiave*: 'apre ogni cuore'; motivo tipicamente stilnovistico,
basti citare CAVALCANTI, son. *Pegli occhi fere* 13 «che di ciascuno spirit'ha
la chiave» (pure in rima con *soave*). Dantesca la locuzione *volge la chiave*
(*Inf.* XIII 58-60; *Purg.* X 42 in rima con *soave* e *ave*), e si noti che le parole-
rima sono le stesse e nella medesima successione nel son. dantesco *O voi,
che per la via* (*Vita N.* VII).
       3. *in vista umana*: 'in aspetto umano, personificata'.
       4. *da lei*: insiste, variandola, sull'anafora dei vv. 1 e 3.

Non può mirarli il viso alma villana,
se pria di suo fallir doglia non have;
tanti cori Amor piglia fere o ancide,
quanto ella o dolce parla o dolce ride.

47   Ell'era assisa sovra la verdura,
allegra, e ghirlandetta avea contesta
di quanti fior' creassi mai natura,
de' quai tutta dipinta era sua vesta.
E come prima al giov"en puose cura,
alquanto paurosa alzò la testa;

5-6. Per l'immagine, di ascendenza provenzale, i commentatori rinviano in genere a DANTE, canz. *Donne, ch'avete* 47-52, ma si veda soprattutto CAVALCANTI, ball. *Gli occhi di quella* 21-23 «che non po' 'maginar / ch'om d'esto mondo l'ardisca mirare / che non convegna lui tremare in pria», e pure PETRARCA, *RVF* CCLXX 81-83.

8. Cfr. ORAZIO, *Od.* I 22 23-24 «dulce ridentem Lalagen amabo / dulce loquentem» (Nannucci), e PETRARCA, *RVF* CLIX 14 «e come dolce parla e dolce ride». - *quanto*: 'quanti quelli cui'.

47   1-2. Oltre alla Matelda dantesca ricorda la figura dell'Emilia nel *Teseida* boccacciano III 10 5-6 «con molti fior', su l'erbetta assettata, / faceva sua ghirlanda lieta e presta» (Lo Cascio), la Bessi ha segnalato inoltre la «ghirlandetta» di Fiammetta, cui analogamente «era avviso sedere in un prato» (cap. I). Ma tanto più che, come dimostrano i calchi limitrofi da Ovidio e Claudiano, P. aveva qui presente l'immagine di Proserpina, occorre ricordare i versi, certo anteriori, di *Morgante* XIV 85 6-8, in cui PULCI la ritraeva: «E la fanciulla bella e peregrina / vedevasi di rose e vïolette / contesser vaghe e gentil grillandette»; più preciso rispetto a GIROLAMO BENIVIENI, *Egloghe* III 250-51 «aveva già colle sue man' contesta / Lauro di quelle fronde una ghirlanda».

3-4. Cfr. DANTE, *Purg.* XXVIII 41-42 «scegliendo fior da fiore / ond'era pinta tutta la sua via», cui la Bessi ha accluso BOCCACCIO, *Fiammetta* I «fiori avendo colti, de' quali tutto il luogo era dipinto» e OVIDIO, *Fasti* IV 429-30 «tot suberant illic quot habet natura colores, / pictaque dissimili flore nitebat humus».

5-6. Cfr. BOCCACCIO, *Teseida* III 18 3-6 «né prima altrove ch'alla finestrella / le corser gli occhi, onde la faccia bianca / per vergogna arrossò, non sappiendo ella / chi si fosser color». - *puose cura*: cfr. DANTE, *Purg.* X 135, 'fece attenzione' o, meglio, 'si accorse' di Iulio.

poi colla bianca man ripreso il lembo,
levossi in pie' con di fior' pieno un grembo.

48   Già s'invïava, per quindi partire,
la ninfa sovra l'erba, lenta lenta,
lasciando il giovinetto in gran martire,
che fuor di lei null'altro omai talenta.
Ma non possendo el miser ciò soffrire,
con qualche priego d'arrestarla tenta;
per che, tutto tremando e tutto ardendo,
cosí umilmente incominciò dicendo:

49   «O qual che tu ti sia, vergin sovrana,
o ninfa o dea (ma dea m'assembri certo),
se dea, forse se' tu la mia Dïana,
se pur mortal, chi tu sia fammi certo:

7-8. Cfr. Boccaccio, *Teseida* III 9 3 «con la candida man talor cogliendo» e 18 7 «co' colti fiori in pie' si fu levata»; e lo stesso P., ball. *I' mi trovai, fanciulle* 9-11. - *il lembo*: della veste, in cui ha raccolto i fiori al pari di Fiammetta I «in uno lembo de' miei vestimenti raccoltili» (Bessi). - *pieno un grembo*: cfr. soprattutto Ovidio, *Fasti* IV 432 «et mecum plenos flore referte sinus» e 435-36, *Met.* V 392-94, e Claudiano, *De raptu Pros.* II 139.

48   1. Cfr. Boccaccio, *Teseida* III 18 8 dove Emilia «per andarsen si fu inviata». - *quindi*: 'di là'.
    2. ninfa: 'giovane donna', cfr. I 10 1 e n. - *lenta lenta*: cfr. I 66 2 e n.
    3. *martire*: 'tormento'.
    4. *talenta*: piuttosto che 'alletta' (Sapegno) intenderei 'desidera' con *che* sogg., in senso affine ad Ariosto, *Orlando* XXIV 98 5-6 «cui la battaglia piú talenta / d'ogni riposo».
    5. *soffrire*: 'sopportare'.
    7. *per che*: 'per la qual cosa'. - *tutto tremando*: si ricordi Paolo «tutto tremante» in Dante, *Inf.* V 136.
    8. *dicendo*: lat. dicens.

49   1-4. Cfr. l'esordio di Enea rivolto a Venere in Virgilio, *Aen.* I 327-29 « o ... quam te memorem, virgo? namque haud tibi voltus / mortalis nec vox hominem sonat; o dea certe / an Phoebi soror? an nimpharum sanguinis una?» (Nannucci); e Omero, *Odiss.* VI 149 sgg. - *sovrana*: 'su-

ché tua sembianza è fuor di guisa umana,
né so già io qual sia tanto mio merto,
qual dal cel grazia, qual sí amica stella,
ch'io degno sia veder cosa sí bella».

50   Volta la ninfa al suon delle parole,
     lampeggiò d'un sí dolce e vago riso,
     che i monti avre' fatto ir, restare il sole,
     che ben parve s'aprissi un paradiso.
     Poi formò voce fra perle e vïole,
     tal ch'un marmo per mezzo avre' diviso,
     soave, saggia e di dolceza piena,
     da innamorar non ch'altri una Sirena:

51   «Io non son qual tua mente invano auguria,

blime'. - *la mia Dïana*: allusione alla leggenda di Atteone folgorato dalla
bellezza di Diana. - *fammi certo*: lat. certiorem facere, con rima equivoca
che i compilatori del Ricc. 2723, del Magl. II X 54 e della ed. princeps
scartano («fammi aperto»).

     5. Cfr. PULCI, *Morgante* XV 100 6 «dunque non era questa donna uma-
na», con iperbole assai diffusa. - *guisa*: 'maniera'.

     6-8. Cfr. DANTE, *Purg.* VII 19 «qual merito o qual grazia mi ti mostra?»

50   1. *Volta*: 'voltatasi'.

     2-4. Cfr. PETRARCA, *RVF* CCXCII 6-7 «e 'l lampeggiar de l'angelico
riso / che solean fare in terra un paradiso», incrociato forse con CLVI 7-8
«e udii sospirando dir parole / che farian gire i monti e stare i fiumi»; ma
si ricordi anche PULCI, *Morgante* XVI 12 1-4 «E vòlsesi a Orlando con un
riso, / con un atto benigno e con parole / che si vedeva aperto il paradiso, / che si fermò a udir la luna e 'l sole » e XV 102 1-4, oltre che *Giostra*
9 1-3 «E messegliela in testa con un riso, / con parole modeste e sí soave /
che si potea vedere il paradiso». E vedi anche il risp. polizianesco *Chi vuol veder le rose* 5-6. - *vago*: cfr. I 41 7 e n., e 99 5.

     5. *perle e vïole*: denti e labbra, variando la diffusa metafora petrarche-
sca, *RVF* CLVII 12-13 «perle e rose vermiglie, ove l'accolto / dolor forma-
va ardenti voci e belle», che toglie ogni dubbio sul numero plur. di *voce*.

     6. Cfr. PETRARCA, *RVF* CCCLIX 70. - *diviso*: 'spaccato'.

     8. *da innamorar ... Sirena*: 'da sedurre addirittura un'adescatrice per an-
tonomasia'; si noti *innamorar* fattitivo.

51   1. *auguria*: 'crede, suppone', cfr. G. MARTELLOTTI in «Lingua Nostra», XXXII (1970), 1-3; poi in *Dante e Boccaccio, e altri scrittori dall'U-
manesimo al Romanticismo*, Firenze, 1983, 355-60.

non d'altar degna, non di pura vittima;
ma là sovra Arno innella vostra Etruria
sto soggiogata alla teda legittima;
mia natal patria è nella aspra Liguria,
sovra una costa alla riva marittima,
ove fuor de' gran massi indarno gemere
si sente il fer Nettunno e irato fremere.

52   Sovente in questo loco mi diporto,
       qui vegno a soggiornar tutta soletta;
       questo è de' mia pensieri un dolce porto,

2. *non d'altar ... vittima*: 'non son degna di culto né di sacrifici', in altre parole 'non sono una dea'.

3. *sovra Arno*: a Firenze. - *innella*: la forma col rafforzamento (in illa) serve «per ovviare all'atonia della preposizione» (Ghinassi).

4. *soggiogata*: 'sottoposta'. - *teda legittima*: metonimia per 'matrimonio' (pure in *Orfeo* 307) di ascendenza classica (la teda era la fiaccola che si portava nel corteo nuziale), OVIDIO, *Her.* IV 121 «taedaque accepta iugali»; *Octavia* IV 697-98 «Caesari iuncta es tuo / taeda iugali». Si tratta infatti di Simonetta Cattaneo (circa 1453-76), sposata al fiorentino Marco di Piero Vespucci e dama di Giuliano de' Medici, per cui vedi A. NERI, *La Simonetta*, «Giornale Storico della Letteratura Italiana», V (1895), 131-47; A. SIMIONI, *Donne ed amori medicei. La Simonetta*, «Nuova Antologia», S. V, CXXXV (16 giu. 1908), 684-85; e A. ROCHON, *La jeunesse de Laurent de Médicis (1449-1478)*, Paris, 1963, 246-48.

5. *aspra*: 'rupestre'.

6. *una costa alla*: 'un pendio presso la'.

7-8. *ove fuor ... fremere*: a Genova, 'dove oltre i blocchi di pietra che riparano il porto si ode la furia delle onde che vi si infrangono'. - *gran massi*: junctura fissa, cfr. BOCCACCIO, *Ninfale fiesolano* 105 8. - *gemere ... fremere*: per l'ostacolo oppostogli; quest'ultimo verbo consueto nella descrizione del mare in tempesta, cfr. PETRARCA, *Tr. Pud.* 112; LUCA PULCI, *Driadeo* II 94 2; LORENZO, canz. *Quelle vaghe dolcezze* 38 (*Canz.* LXV).

52   1. *mi diporto*: 'passeggio', come in BOCCACCIO, *Dec.* II concl. «Presero adunque le donne e gli uomini inverso un giardinetto la via e quivi, poi che alquanto diportati si furono ...»; e cfr. I 92 3.

2. *soletta*: cfr. DANTE, *Purg.* XXVIII 40 dove Matelda è raffigurata quale «donna soletta», e BOCCACCIO, *Teseida* III 8 5 dove Emilia analogamente «in un giardin se n'entrava soletta» (Bessi); ma anche PETRARCA, *RVF* L 7-10 «e poi cosí soletta / al fin di sua giornata / talora è consolata / d'alcun breve riposo». E vedi *Orfeo* 111.

3. *pensieri*: 'affanni'. - *dolce porto*: 'caro rifugio', sintagma petrarchesco, *RVF* XIV 7.

qui l'erba e' fior', qui il fresco aier m'alletta;
quinci il tornare a mia magione è accorto,
qui lieta mi dimoro Simonetta,
all'ombre, a qualche chiara e fresca linfa,
e spesso in compagnia d'alcuna ninfa.

53   Io soglio pur nelli ocïosi tempi,
      quando nostra fatica s'interrompe,
      venire a' sacri altar' ne' vostri tempî
      fra l'altre donne con l'usate pompe;
      ma perch'io in tutto el gran desir t'adempi
      e 'l dubio tolga che tuo mente rompe,
      meraviglia di mie bellezze tenere
      non prender già, ch'io nacqui in grembo a Venere.

54   Or poi che 'l sol sue rote in basso cala,
      e da questi arbor' cade maggior l'ombra,

---

4. *aier*: cfr. I 34 1 e n.

5. *quinci*: 'da qui'. - *accorto*: 'spedito', cfr. DANTE, *Inf*. XIII 120.

6. *Simonetta*: il nome è, latinamente, in funzione appositiva.

7. *chiara e fresca linfa*: scoperto riecheggiamento di PETRARCA, *RVF* CXXVI 1.

8. *ninfa*: cfr. I 10 1 e n.

53 1. *ocïosi*: 'festivi'.

3. *vostri*: dei fiorentini. - *tempî*: rima equivoca.

4. *l'usate pompe*: i gioielli ed i vestiti sfoggiati nei giorni di festa; si noti l'accezione diversa da quella di I 1 1.

5. *t'adempi*: 'ti soddisfi, appaghi', cfr. BOCCACCIO, *Dec.* II 2 «i loro disii adempierono».

6. *rompe*: 'fiacca'.

7-8. *meraviglia ... non prender*: locuzione del fiorentino antico, anche in LORENZO, *Canzona de' visi addrieto* 29 «non pigliate meraviglia». - *ch'io nacqui in grembo a Venere*: 'perché fui partorita dalla dea della bellezza in persona', anche DOMENICO DA PRATO nell'intr. al *Pome del bel fioretto* (Lanza I 450) diceva la propria donna «novella Diana da Cupido formata di Venere nel grembo sereno» (Martelli); ma qui l'espressione allude, per contrapposizione con il fugace nitore della cerva, alla bellezza celeste di cui Simonetta è specchio.

54 1-2. Cfr. PETRARCA, *RVF* L 15-17 «Come 'l sol volge le 'nfiammate rote / per dar luogo a la notte, onde discende / dagli altissimi monti mag-

già cede al grillo la stanca cicala,
già 'l rozo zappator del campo sgombra,
e già dell'alte ville il fumo essala,
la villanella all'uom suo el desco ingombra;
omai riprenderò mia via piú accorta,
e tu lieto ritorna alla tua scorta».

55   Poi con occhi piú lieti e piú ridenti,
      tal che 'l ciel tutto asserenò d'intorno,
      mosse sovra l'erbetta e passi lenti
      con atto d'amorosa grazia adorno.
      Feciono e boschi allor dolci lamenti
      e gli augelletti a pianger cominciorno;

gior l'ombra» e 29-30 «Quando vede 'l pastor calare i raggi / del gran pianeta al nido ov'egli alberga»; incrociato con VIRGILIO, *Buc.* I 83 «maioresque cadunt altis de montibus umbrae» (Nannucci). - *rote*: del carro febeo.

3. Ricorda la similitudine dantesca «come la mosca cede a la zanzara» (*Inf.* XXVI 28), e vedi SANNAZARO, *Arc.* inc. della prosa IX «Non si sentivano piú per li boschi le cicale cantare, ma solamente, in vece di quelle, i notturni grilli succedendo si facevano udire per le fosche campagne».

4. Cfr. PETRARCA, *RVF* L 18 «l'avaro zappador l'arme riprende». - *sgombra*: 'parte'.

5. Cfr. VIRGILIO, *Buc.* I 82 «et iam summa procul villarum culmina fumant» (Nannucci). - *già*: chiude l'insistita anafora.

6. Cfr. VIRGILIO, *Geor.* IV 132-33 «seraque revertens / nocte domum dapibus mensas onerabat inemptis» (Nannucci) e PETRARCA, *RVF* L 21-22 «e poi la mensa ingombra / di povere vivande». - *desco*: 'tavola'.

7. *piú accorta*: forse 'piú adeguata' (Sapegno ricorda ANTONIO DEGLI AGLI, canz. *Donne leggiadre* 99 «e ti die' vento a tal viaggio accorto» [ed. CORSI in *Rimatori del Trecento*, Torino, 1969, 529]), ma sembra preferibile 'piú breve' o 'senza altro indugio' (cfr. infatti I 52 5 e n.).

8. *scorta*: i compagni di caccia.

55   1-2. Cfr. PETRARCA, *RVF* CVIII 3-4, CXCII 12-14 e CLVII 8; l'immagine torna nell'ode *Puella* 106 «risu serenans aethera». - *lieti*: liaison con l'ultimo verso dell'ottava prec. - *asserenò*: trans. (cfr. Ghinassi 56), la forma senza prefisso correva nel fiorentino dell'epoca, ad es. LORENZO, son. *Non poter gli occhi* 12 «ogni alma che lei vede si asserena» (*Canz.* VII).

3. *passi lenti*: clausola dantesca (*Inf.* VI 101), ampliata da PETRARCA (*RVF* XXXV 2).

6. Cfr. BOCCACCIO, *Teseida* III 7 1-2 «E gli uccelletti ancora i loro amori / tututti avean cominciato a cantare» (Branca) e LORENZO, *Comento* son. XXI 7 «un augelletto che d'amor si lagni».

> ma l'erba verde sotto i dolci passi
> bianca, gialla, vermiglia e azzura fassi.

56 Che de' far Iulio? Ahimè, ch'e' pur desidera
seguir sua stella e pur temenza il tiene:
sta come un forsennato, e 'l cor gli assidera,
e gli s'aghiaccia el sangue entro le vene;
sta come un marmo fisso, e pur considera
lei che sen va né pensa di sue pene,
fra sé lodando il dolce andar celeste
e 'l ventilar dell'angelica veste.

57 E' par che 'l cor del petto se li schianti,
e che del corpo l'alma via si fugga,

7-8. L'immagine dei fiori che sbocciano al passaggio della donna, utilizzata anche a I 101 4-5, è di derivazione classica (Esiodo, Lucrezio, Persio, Claudiano); diffusa da PETRARCA, *RVF* CLXV 1-4, si ritrova ad es. in LORENZO, prosa posposta al son. XVIII del *Comento* «dove avevano tocco li piedi suoi era fiorita la terra», e in GIROLAMO BENIVIENI, *Egloghe* III 41-42 «sotto candido vel donna mi apparse / che l'erba al passo suo facea fiorire». - *dolci*: replica la voce del v. 5. - *bianca ... e azzura*: «progressivo incupirsi di colori» (Trombadori) che fa seguito alla partenza di Simonetta.

56 2. *stella*: tradizionale metafora per indicare la donna amata, impiegata a proposito di Simonetta anche nei primi quattro sonn. del *Comento* laurenziano. - *tiene*: 'trattiene'.
3-4. Eco di *RVF* LXXI 35 diffuso nel petrarchismo dell'epoca: LORENZO, canz. *Amor, tu vuoi* 65 «E mi s'agghiaccia nelle vene il sangue» e son. *Qual maraviglia* 9-10 «in ogni vena / il sangue agghiaccia» (*Canz.* LVI e CXI); e IACOPO DE' BUONINSEGNI, *Egloghe* I 18 «ognor s'agg‹h›iaccia el sangue infra le vene». - *forsennato*: 'privo di ragione'. - *assidera*: assoluto per il rifless.
5. *come un marmo fisso*: 'inerte come un blocco di marmo' o 'come una statua'; sintagma probabilmente già cristallizzato a quest'altezza di tempo, come si rileva da alcuni versi di un cantare quattrocentesco sul giudizio universale: «e stettono l'aque chome marmo fitto / quando affoghò Faraone e fu schonfitto» (cfr. Carrai, *Le muse dei Pulci* 166).
6. *pensa*: 'si preoccupa'. - *sue*: riferito a Iulio.
7. *andar celeste*: junctura petrarchesca, *RVF* CCXIII 7.
8. Si noti l'accento di settima su parola sdrucciola. - *ventilar*: 'ondeggiare al vento'.

57 1. Già Nannucci ricordava BOCCACCIO, *Dec.* II 6 «el pare che 'l cuor mi si schianti», ma P. impiega qui il verbo nel senso di 'gli sia strappato'.
2. Consueta metafora per l'atto del morire.

e ch'a guisa di brina, al sol davanti,
in pianto tutto si consumi e strugga.
Già si sente esser un degli altri amanti,
e pargli ch'ogni vena Amor li sugga;
or teme di seguirla, or pure agogna,
qui 'l tira Amor, quinci il ritrae vergogna.

58   U' sono or, Iulio, le sentenzie gravi,
le parole magnifiche e' precetti
con che i miseri amanti molestavi?
Perché pur di cacciar non ti diletti?
Or ecco ch'una donna ha in man le chiavi
d'ogni tua voglia, e tutti in sé ristretti
tien, miserello, i tuoi dolci pensieri;
vedi chi tu se' or, chi pur dianzi eri.

3-4. Frequente immagine (anche in *Orfeo* 85) piú spesso applicata alla neve, nella fattispecie tolta probabilmente da OVIDIO, *Met.* III 487-89 «ut intabescere flavae / igne levi cerae matutinaeque pruinae / sole tepente solent» (Sapegno), ma vedi anche LUCANO, *Phar.* IV 53 «non duraturae conspecto sole pruinae». Piú in generale vedi E. GIANNARELLI, *L'immagine della neve dal sole dalla poesia classica al Petrarca: contributo per la storia di un topos*, «Quaderni Petrarcheschi», I (1983), pp. 91-129. - *consumi e strugga*: dittologia petrarchesca, *RVF* LXXII 39.
    5. *altri*: coloro che era solito biasimare.
    6. Cfr. PETRARCA, *RVF* CCII 3 e CCLVI 5-6.
    7. Replica il concetto del v. 2 dell'ottava prec.
    8. *qui ... quinci*: 'verso Simonetta ... da S.'.

58 2. *magnifiche*: 'solenni'.
    3. Cfr. I 12-22.
    5-6. *ha in man ... voglia*: 'ti ha in suo potere'; metafora assai diffusa, passata dagli stilnovisti in PETRARCA, *RVF* LXIII 11-12.
    6-7. *e tutti ... pensieri*: come accadeva pure al Rinaldo pulciano in *Morgante* XVI 30 5 («Ella se n'ha portati i pensier' miei»); si noti la junctura petrarchesca *dolci pensieri* (*RVF* XXXVII 36, CLIII 5 e CCCXVII 11) e l'agg. *miserello*, già riservato all'amante rampognato da Iulio a I 12 2 e 22 5.
    8. L'andamento ricorda PETRARCA, *Tr. Cupid.* IV 64 «dove se' or, che meco eri pur dianzi», il senso riporta invece a Landino, *Xandra* I 3 11 «Heu, quis tunc fueram, quis nunc!», secondo un motivo tipico dell'elegia: ad es. PROPERZIO I 12 11, OVIDIO *Trist.* III 11 25, MAXIM. I 5.

59 Dianzi eri d'una fera cacciatore,
     piú bella fera or t'ha ne' lacci involto;
     dianzi eri tuo, or se' fatto d'Amore,
     sei or legato, e dianzi eri disciolto.
     Dov'è tuo libertà, dov'è 'l tuo core?
     Amore e una donna te l'ha tolto.
     Ahi, come poco a sé creder uom degge!
     ch'a virtute e Fortuna e Amor pon legge.

60 La notte che le cose ci nasconde
     tornava ombrata di stellato ammanto,
     e l'usignuol sotto l'amate fronde
     cantando ripetea l'antico pianto;
     ma sola a' sua lamenti Ecco risponde,

---

59 1-2. Si noti il collegamento sul tipo delle capfinidas e che la replicatio su *fera* allude prima alla cerva e poi a Simonetta. - *bella fera*: espressione attinta al codice petrarchesco, *RVF* XXIII 149 e CXXVI 29.

3. Cfr. BOCCACCIO, *Filostrato* I 38 1-3 «E verso Amore tal fiata dicea / con pietoso parlar: - Signor, omai / l'anima è tua che mia esser solea».

4. *sei or... dianzi eri*: conclude il procedimento anaforico (iniziato al v. 1) con un chiasmo rispetto al verso prec.

6. Si noti lo zeugma.

7. *a sé creder*: 'fidarsi di se stesso'. - *degge*: formazione analogica su deggio o sul cong. deggia, cfr. Ghinassi 36-37.

8. *pon legge*: sogg. Fortuna e Amor.

60 1. Verso identico a quello di DANTE, *Par.* XXIII 3.

2. *stellato ammanto*: cfr. LORENZO, *Corinto* 18 «poi ch'io son sotto il tuo stellato ammanto»; e *Sylva in scabiem* 40 «seu nox astrigero coelum subtexit amictu».

3-4. *l'antico pianto*: per l'oltraggio patito da Filomela, poi mutata in usignolo, ad opera di Tereo e per l'uccisione del figlio Iti, secondo la versione della leggenda raccolta da VIRGILIO, *Geor.* IV 511 (riecheggiato in *Rusticus* 226-27); ma il motivo era diffuso anche in volgare, da PETRARCA, *RVF* CCCXI 1-2 a LORENZO, son. *Era nel tempo bel* 8 (*Canz.* II), e soprattutto a PULCI, *Morgante* I 3 1-3 «Era nel tempo quando Filomela / con la sorella si lamenta e plora, / che si ricorda di sua antica pena». - *l'amate fronde*: clausola dantesca, *Par.* XXIII 1, impiegata ad es. anche da LUCA PULCI, *Pístole* I 12.

5. *Ecco*: Eco, la ninfa innamorata di Narciso che, da lui sdegnata, morí di dolore trasformandosi in rupe e restò soggetta alla punizione inflittale da Giunone, per cui non poteva parlare per prima e se altri parlava era obbligata a ripeterne le ultime parole (OVIDIO, *Met.* III 356 sgg.).

ch'ogni altro augel quetato avea già 'l canto;
dalla chimmeria valle uscian le torme
de' Sogni negri con diverse forme.

61   E gioven' che restati nel bosco erono,
vedendo il cel già le sue stelle accendere,
sentito il segno, al cacciar posa ferono;
ciascun s'affretta a lacci e reti stendere,
poi colla preda in un sentier si schierono:
ivi s'attende sol parole a vendere,
ivi menzogne a vil pregio si mercono;
poi tutti del bel Iulio fra sé cercono.

62   Ma non veggendo il car compagno intorno,
ghiacciossi ognun di subita paura

7-8. *chimmeria*: secondo gli antichi la dimora del Sonno era situata nella valle dei Cimmeri; la forma con la gutturale è resa, probabilmente, della voce greca. - *Sogni negri*: cfr. OVIDIO, *Fasti* IV 662 «Nox venit et secum somnia nigra trahit»; TIBULLO II 1 89-90 «postque venit tacitus, furvis circumdatus alis, / Somnus, et incerto Somnia nigra pede»; e anche PONTANO, *Tumuli* II 56 12 «et a somnis gaudia posce nigris». - *diverse forme*: vedi II 23 7; lo spunto deriva da OVIDIO, *Met.* XI 613-14 «Hunc circa passim varias imitantia formas / Somnia vana iacent totidem».

61   2. Cfr. VIRGILIO, *Geor.* I 251 «illic sera rubens accendit lumina vesper» (Sapegno) e soprattutto PETRARCA, *RVF* XXII 4 «ma poi che 'l ciel accende le sue stelle».

3. *segno*: quello stabilito. - *posa*: 'sosta'.

4. *stendere*: 'ritirare', come in PULCI, *Morgante* XVIII 135 2-4 «s'tu mi vedessi stendere un bucato, / diresti che non è donna o massaio / che l'habbi cosí presto rassettato».

5. *in... schierono*: 'si dispongono in fila lungo un sentiero'.

6-7. Cfr. *Uccellagione di starne* 41 5-6 «Quivi si fa un altro uccellatoio, / quivi si dice un gru d'ogni farfalla» (Martelli). - *parole a vendere*: l'espressione «scaturirà da una sovrapposizione di *verba vendere*, 'vendere la propria eloquenza', detto degli avvocati, come in Mart. V 16, che parlano per danaro in favore dei solleciti rei, al piú comune *verba dare* 'dar parole, ingannare qualcuno'» (Martelli). - *a vil pregio si mercono*: 'si scambiano a poco prezzo' ovvero 'si sprecano'.

8. *fra sé*: 'fra loro'.

62   2. Cfr. il distico iniziale dell'ottava successiva. - *subita paura*: 'improvviso timore', cfr. DANTE, *Inf.* XXI 27.

che qualche cruda fera il suo ritorno
non li 'mpedisca o altra ria sciagura.
Chi mostra fuochi, chi squilla el suo corno,
chi forte il chiama per la selva oscura;
le lunghe voci ripercosse abondono,
e «Iulio Iulio» le valli rispondono.

63   Ciascun si sta per la paura incerto,
gelato tutto, se non ch'ei pur chiama;
veggiono il cel di tenebre coperto,
né san dove cercar, bench'ognun brama.
Pur «Iulio Iulio» suona il gran diserto;
non sa che farsi omai la gente grama.
Ma poi che molta notte indarno spesono,
dolenti per tornarsi il cammin presono.

64   Cheti sen vanno, e pure alcun col vero
la dubia speme alquanto riconforta,
ch'el sia redíto per altro sentiero

---

5. *squilla*: trans., come previsto nell'uso quattrocentesco (Ghinassi 55).

6. *selva oscura*: la celeberrima clausola dell'incipit della *Commedia*.

7. *lunghe*: perché giungono lontano e di lontano. - *ripercosse*: 'respinte dall'eco'.

8. Cfr. VIRGILIO, *Buc.* VI 44 «ut litus 'Hyla, Hyla' omne sonaret» (Nannucci) e VALERIO FLACCO, *Argonautica* III 596-97 «rursus Hylan et rursus Hylan per longa reclamat / avia» (Proto).

63   1-2. Cfr. il verso 2 dell'ottava prec. - *se non ... chiama*: modifica *tutto*, 'salvo che continua a chiamarlo'; cfr. il v. 6 dell'ottava prec.

4. *brama*: di cercare.

5. Cfr. il v. 8 dell'ottava prec. e n. - *Pur*: 'tuttavia'. - *suona*: intr., come a I 106 7. - *gran diserto*: 'ampia foresta', clausola dantesca, *Inf.* I 64.

6. *non sa che farsi*: atteggiamento tipico di chi è confuso, ad es. PULCI, *Morgante* XXV 78 5-7 «E cosí stetton gran pezzo confusi / Marsilio e gli altri, le cose a mirare, / e non sapeva ignun quel che si facci». - *grama*: 'infelice'.

64   1. *col vero*: Sapegno spiega «con un'ipotesi che risponde al vero», enunciata ai vv. 3-4.

3. *redíto*: latinismo, 'tornato'.

al loco ove s'invia la loro scorta.
Ne' petti ondeggia or questo or quel pensiero,
che fra paura e speme il cor traporta:
cosí raggio, che specchio mobil ferza,
per la gran sala or qua or là si scherza.

65   Ma 'l gioven, che provato avea già l'arco
ch'ogni altra cura sgombra fuor del petto,
d'altre speme e paure e pensier' carco,
era arrivato alla magion soletto.
Ivi pensando al suo novello incarco
stava in forti pensier' tutto ristretto,
quando la compagnia piena di doglia
tutta pensosa entrò dentro alla soglia.

66   Ivi ciascun piú da vergogna involto
per li alti gradi sen va lento lento:

---

4. *s'invia*: 'si dirige'. - *scorta*: è la *compagna* del v. *1* dell'ottava successiva.
5-8. Cfr. VIRGILIO, *Aen.* VIII 19-25. - *ondeggia*: 'tumultua'. - *traporta*:
'trasporta'. - *cosí raggio... scherza*: 'analogamente un raggio di sole, che batte su di uno specchio in movimento, si riflette qua e là per la gran sala'. Le
Le parole-rima erano già nella dantesca *Cosí nel mio parlar* 67 e 71, e forse
nella memoria di P. agiva anche il paragone di *Purg.* XV 2-3 con la «spera / che sempre a guisa di fanciullo scherza». - *ferza*: cfr. I 121 5.

65 1. *l'arco*: di Cupido.
     2. Cfr. PETRARCA, *RVF* XI 3-4, LXXVIII 5 e soprattutto L 20 «ogni
gravezza del suo petto sgombra»; immagine ripresa dal petrarchismo toscano: LORENZO, *De Summo Bono* I 15 e GIROLAMO BENIVIENI, *Egloghe* V
58-59.
     3. *altre... pensier'*: rispetto a quelli consueti. - *carco*: 'gravato', come in
Dante, canz. *Io son venuto al punto* 11.
     5. *incarco*: il peso che gli grava il cuore, in rima anche in DANTE, *Purg.*
VI 133 e XI 43, e in PETRARCA, *RVF* XXXVI 4 e CXLIV 6.
     6. *forti*: 'angosciosi'. - *ristretto*: 'assorto', come in Dante, *Purg.* XVII 22.
     7. *doglia*: 'afflizione'.
     8. *tutta pensosa*: 'tutta preoccupata', si noti il parallelismo col secondo
emistichio del v. 6 che sottolinea l'analogia fra lo stato d'animo di Iulio
e quello, gravato da ben altra angoscia, dei suoi compagni.

66 1. *involto*: 'afflitto'.
     2. *li alti gradi*: 'le alte scale'. - *lento lento*: stilema dantesco (*Purg.* XXVIII
5 e anche *Inf.* XVII 115) e poi boccacciano (*Filostrato* II 81 4).

quali i pastori a cui il fer lupo ha tolto
il piú bel toro del cornuto armento,
tornonsi a lor signor con basso volto,
né s'ardiscon d'entrar all'uscio drento;
stan sospirosi e di dolor confusi,
e ciascun pensa pur come sé scusi.

67   Ma tosto ognuno allegro alzò le ciglia,
veggendo salvo lí sí caro pegno:
tal si fe', poi che la sua dolce figlia
ritrovò, Ceres giú nel morto regno.
Tutta festeggia la lieta famiglia;
con essi e Iulio di gioir fa segno,
e quanto el può nel cor preme sua pena
e il volto di letizia rasserena.

68   Ma fatta Amor la sua bella vendetta,
mossesi lieto pel negro aere a volo,

3-4. Cfr. PULCI, *Morgante* XI 99 5 «furno in un tratto i lupi tra l'armento».

7. *di dolor confusi*: 'smarriti dal dolore'.

8. *sé scusi*: per esser tornati senza Iulio.

67 1. *ciglia*: cfr. I 38 1 e n.

2. *caro pegno*: 'diletto bene'; espressione classica (VIRGILIO, *Buc*. VIII 92 «pignora cara sui») passata in PETRARCA, *RVF* XXIX 57 «piú caro pegno» (come qui in clausola) e recepita da altri poeti quattrocenteschi: ad es. ALESSANDRO BRACCESI, son. *Non ti bastava, Amor* 14 «con sí caro pegno».

4. *Ceres*: Pulci chiosava «la iddea delle biade et della terra» (Carrai, *Le muse dei Pulci* 46), madre di Proserpina che Plutone, invaghitosene, le rapí; cfr. lo stesso PULCI, *Morgante* XIV 85 1-4. - *morto regno*: l'inferno, «lo regno de la morta gente» (*Inf*. VIII 85), con coniazione che ricorda il tipo dantesco di «morta gora» (ivi 31) e simili.

5. *famiglia*: latinismo, il seguito di amici e servi che avevano accompagnato Iulio a caccia, come in PULCI, *Morgante* XX 69 1.

6. *e*: 'etiam'. - *fa segno*: 'fa mostra'.

7. *nel cor preme*: per dissimularla, espressione virgiliana (*Aen*. I 209, IV 332 e X 465).

68 1. Cfr. I 33 7-8 e n.

2-3. Cfr. CLAUDIANO, *Epith. Hon*. 47-48 «Risit Amor, placidaeque volat trans aequora matri / nuntius et totas iactantior explicat alas» (Carduc-

e ginne al regno di sua madre in fretta,
ov'è de' picciol suoi fratei lo stuolo:
al regno ov'ogni Grazia si diletta,
ove Biltà di fiori al crin fa brolo,
ove tutto lascivo, drieto a Flora,
Zefiro vola e la verde erba infiora.

69   Or canta meco un po' del dolce regno,
Erato bella, che 'l nome hai d'amore;
tu sola, benché casta, puoi nel regno
secura entrar di Venere e d'Amore;
tu de' versi amorosi hai sola il regno,
teco sovente a cantar viensi Amore;
e, posta giú dagli omer' la faretra,
tenta le corde di tua bella cetra.

ci). - *negro aere*: della notte, cfr. DANTE, *Inf.* V 51 e IX 6. - *a volo*: 'in volo',
come in DANTE, *Inf.* XXIX 113. - *sua madre*: Venere.

4. *picciol suoi fratei*: gli Amorini.

6. *Biltà*: cfr. I 45 8. - *fa brolo*: metatoricamente 'fa ghirlanda', eco di
DANTE, *Purg.* XXIX 147 (pure in rima con *stuolo*).

7-8. Cfr. CLAUDIANO, *Epith. Hon.* 60-61 «rura micant, manibus quae
subdita nullis / perpetuum florent, Zephyro contenta colono» (Carducci);
e vedi I 77 3-8. - *lascivo*: identico epiteto assegnato a Zefiro in *Rusticus*
218, forse per la suggestione di Claudiano, *De raptu Pros.* II 74-75 «qui
mea lascivo regnas per prata meatu / semper et adsiduis inroras flatibus an-
num» (Sapegno). - *Flora*: ninfa amata da Zefiro e da lui fatta dea dei fiori.
- *infiora*: 'cosparge di fiori', probabile eco di OVIDIO, *Fasti* V 211 dove il
giardino dotale di Flora «implevit generoso flore maritus».

69   1-2. Cfr. STAZIO, *Sylvae* I 2 47-49 «Hic mecum... hic, Erato iocun-
da, doce» (Carducci), e OVIDIO, *Ars am.* II 15-16 «Nunc mihi, si quando,
puer et Cytherea, favete, / nunc Erato, nam tu nomen Amoris habes» (Nannucci), forse richiamato alla memoria dell'allievo di Landino da *Xandra* I
3 3-4 «huc Erato duros dum nos solamur amores, / huc assis, nam tu nomen Amoris habes»; per il secondo emistichio del v. 2 aggiungi APOLLO-
NIO RODIO, *Argonautica* III 1-5 (Gorni), e vedi anche il *Commento alle
«Selve» di Stazio* 218. Si notino le rime tutte identiche o equivoche nei primi sei versi.

3. *tu sola*: in quanto musa della poesia amorosa, come si dice anche al v. 5.

4. *secura*: 'senza timore né ostacolo'.

5. *tu... sola*: in rapporto anaforico con l'inizio del v. 3.

6. *teco... cantar*: si osservi il chiasmo rispetto al v. 1.

8. *tenta*: 'tocca', memorizza verosimilmente OVIDIO, *Met.* X 145-46 «Ut
satis impulsas temptavit pollice chordas / et sensit varios».

70 Vagheggia Cipri un dilettoso monte,
che del gran Nilo e sette corni vede
e 'l primo rosseggiar dell'orizonte,
ove poggiar non lice al mortal piede.
Nel giogo un verde colle alza la fronte,
sotto esso aprico un lieto pratel siede,
u' scherzando tra' fior' lascive aurette
fan dolcemente tremolar l'erbette.

71 Corona un muro d'or l'estreme sponde
con valle ombrosa di schietti arbuscelli,
ove in su' rami fra novelle fronde
cantano i loro amor' soavi augelli.
Sentesi un grato mormorio dell'onde,
che fan duo freschi e lucidi ruscelli,
versando dolce con amar liquore,
ove arma l'oro dei suoi strali Amore.

---

70   1-4. Cfr. CLAUDIANO, *Epith. Hon.* 49-51 «Mons latus Ionium Cypri praeruptus obumbrat, / invius humano gressu... et septem despectat cornua Nili» (Nannucci). - *Vagheggia*: 'sovrasta', cfr. ad es. GIROLAMO BENIVIENI, *Egloghe* VII 13-15 «un monte... / par che benigno nella umbrosa valle / costei vagheggi dalla somma altezza». - *Cipri*: arcaico per Cipro. - *dilettoso monte*: sogg.; clausola dantesca, *Inf.* I 77. - *corni*: i rami del delta.

5-6. Cfr. GIROLAMO BENIVIENI, *Egloghe* I 63-64 «Nella piú vaga parte et piú amena / del dilettevol coll'un prato siede» e VII 16-17 «tra 'l fiume e 'l monte, nel piú vago calle / dove un bel prato siede» - *Nel giogo*: all'inizio della pendice del monte, come si ricava da I 93 1-2. - *alza la fronte*: 'si erge'. - *aprico*: con le parole di LUIGI PULCI nel *Vocabulista*: «luogo a mezzodí al sole». - *siede*: 'è situato'.

7. *lascive*: cfr. I 68 7 e n.

71   1. Cfr. CLAUDIANO, *Epith. Hon.* 56-57 «hunc aurea saepes / circuit et fulvo defendit prata metallo» (Nannucci). - *Corona*: 'circonda', sogg. *muro*.

2-3. Cfr. PETRARCA, *RVF* CLXII 5. - *schietti*: 'dritti', cfr. I 82 1 e n.

4. Cfr. I 55 6 e n., cui si aggiunga qui il rinvio a BOCCACCIO, *Ninfale fiesolano* 18 3 4 «e gli usignuoli per ogni rivaggio / manifestan con canti i loro amori».

5-6. Cfr. PETRARCA, *RVF* CCXIX 3-4. - *grato*: 'dilettevole'. - *lucidi*: 'limpidi'.

7-8. Cfr. CLAUDIANO, *Epith. Hon.* 69-71 «labuntur gemini fontes: hic dulcis, amarus / alter... unde cupidineas armari fama sagittas» (Nannucci), e per il motivo dell'amore dolce-amaro vedi I 22 e n. e anche Wind 197-202. Vedi pure PETRARCA, *RVF* CLXIV 9-10. - *arma*: 'prepara per colpire', cfr. I 85 6 e 86 7. - *l'oro*: di cui sono costituiti gli strali che fanno innamorare, cfr. I 92 3.

72 Né mai le chiome del giardino eterno
tenera brina o fresca neve imbianca;
ivi non osa entrar ghiacciato verno,
non vento o l'erbe o li arbuscelli stanca;
ivi non volgon gli anni il lor quaderno,
ma lieta Primavera mai non manca,
ch'e suoi crin' biondi e crespi all'aura spiega,
e mille fiori in ghirlandetta lega.

73 Lungo le rive e frati di Cupido,
che solo uson ferir la plebe ignota,
con alte voci e fanciullesco grido
aguzzon lor saette ad una cota.
Piacere e Insidia, posati in sul lido,
volgono il perno alla sanguigna rota,

---

72 1-2. Cfr. CLAUDIANO, *Epith. Hon.* 52 «Hunc neque candentes audent vestire pruinae» (Nannucci); e per l'aggettivazione, PETRARCA, *RVF* CCXX 3-4.

4. Cfr. CLAUDIANO, *Epith. Hon.* 53 «hunc venti pulsare timent». - *stanca*: 'fiacca, abbatte'.

5-6. Tratto topico del locus amoenus attinto qui ancora da CLAUDIANO, *Epith. Hon.* 54-55; ma vedi almeno OVIDIO, *Met.* I 107 e *Fasti* V 207, e sul versante volgare DANTE, *Purg.* XXVIII 143 e LORENZO, *Apollo e Pan* 31-32. - *quaderno*: allude alle quattro stagioni.

7. *biondi e crespi*: i medesimi attributi in PETRARCA, *RVF* CCXXVII 1 e CCLXX 57.

8. Cfr. I 47 2 e n.

---

73 1-3. Cfr. CLAUDIANO, *Epith. Hon.* 72-77 «Mille pharetrati ludunt in margine fratres, / ore pares, aevo similes, gens mollis Amorum... hi plebem feriunt» (Nannucci). - *rive*: dei ruscelli.

4. Cfr. ORAZIO, *Od.* II 8 14-16 «ferus et Cupido, / semper ardentes acuens sagittas / cote cruenta» (Nannucci) incrociato con PETRARCA, *RVF* CCCLX 36-38 «sempr'aguzzando il giovenil desio / a l'empia cote ond'io / sperai riposo». - *cota*: con metaplasmo; pietra abrasiva usata per affilare le lame, in forma di ruota (v. 6).

6. *perno*: l'asse della mola. - *sanguigna*: 'cruenta', giacché serve ad affilare le frecce che feriranno gli amanti.

e 'l fallace Sperar col van Disio
spargon nel sasso l'acqua del bel rio.

74   Dolce Paura e timido Diletto,
dolce Ire e dolce Pace insieme vanno;
le Lacrime si lavon tutto il petto
e 'l fiumicello amaro crescer fanno;
Pallore smorto e paventoso Affetto
con Magreza si duole e con Affanno;
vigil Sospetto ogni sentiero spia,
Letizia balla in mezo della via.

75   Voluttà con Belleza si gavazza,
va fuggendo il Contento e siede Angoscia,
el ceco Errore or qua or là svolazza,
percuotesi il Furor con man la coscia;
la Penitenzia misera stramazza,
che del passato error s'è accorta poscia,
nel sangue Crudeltà lieta si ficca,
e la Desperazion se stessa impicca.

---

7. Cfr. PETRARCA, *RVF* CCXC 5 «Oh speranza, oh desir sempre fallace!», riecheggiato anche da ALESSANDRO BRACCESI, canz. *Pur m'hai con-
docto* 53-55 «Son tuoi ministri affanno, / piacer breve e furtivo, / amaro
dolce e fallace disire...».
   8. *nel sasso*: 'sulla cote'.

74   2. Memorizza forse PETRARCA, *RVF* CCV 1.
   4. Cfr. I 71 7.
   6. *Affanno*: rima ricca e allitterazione con la clausola del verso prec.

75   1. *si gavazza*: 'gozzoviglia', per la costruzione vedi LORENZO, *Canzona de' confortini* 27 «chi vince per dolcezza si gavazza».
   2. *siede*: 'governa'; Contento e Angoscia sono soggetti.
   3-4. Per la doppia personificazione vedi OVIDIO, *Am*. I 2 35 «Errorque
Furorque» e SENECA *Herc. fur*. 98 (Ghinassi). - *ceco*: grafia fonetica, per
cui vedi I 12 1, 13 1 e 8. - *percuotesi... la coscia*: in segno d'ira; gesto già
presente nei classici (CICERONE, *Brutus* LXXX 278 «nulla perturbatio animi... frons non percussa, non femur»); in Dante, *Inf*. XXIV 9 il villanello
«si batte l'anca».
   6. *poscia*: 'tardi'; cfr. PETRARCA, *RVF* CXXXI 8 «et del suo error, quando non val, si pente»; ecc.

76   Tacito Inganno e simulato Riso
           con Cenni astuti messaggier de' cori,
           e fissi Sguardi con pietoso Viso
           tendon lacciuoli a Gioventú tra' fiori.
           Stassi, col volto in sulla palma assiso,
           el Pianto in compagnia de' suo Dolori;
           e quinci e quindi vola sanza modo
           Licenzia non ristretta in alcun nodo.

77   Cotal milizia e tuoi figli accompagna,
           Venere bella, madre delli Amori.
           Zefiro il prato di rugiada bagna,
           spargendolo di mille vaghi odori:
           ovunque vola, veste la campagna
           di rose, gigli, vïolette e fiori;
           l'erba di sue belleze ha maraviglia:
           bianca, cilestra, pallida e vermiglia.

78   Trema la mammoletta verginella
           con occhi bassi, onesta e vergognosa:
           ma vie piú lieta, piú ridente e bella,

---

76   2. *cori*: degli innamorati.
    5. Cfr. *Sylva in scabiem* 282. - *palma*: della mano, cfr. II 20 3.
    7. *sanza modo*: 'senza freno'.
    8. Eco di CLAUDIANO, *Epith. Hon.* 78 «Hic habitat nullo costricta Licentia nodo» (Nannucci); e del resto al poemetto di Claudiano, oltre che a PETRARCA, *Tr. Cupid.* IV 139-53, rinvia la serie stessa di queste personificazioni. - *non... nodo*: 'senza nessuna costrizione'.

77   1. *milizia*: 'scorta, drappello'.
    2. Cfr. I 120 2.
    4. *vaghi*: 'piacevoli', cfr. I 84 5.
    5-6. Cfr. CLAUDIANO, *De raptu Pros.* II 90-93; e vedi pure qui I 68 8. - *fiori*: sottint. di altre specie.
    8. Accumulatio affine, a parte la progressione dei colori, a quella di I 55 8. - *pallida*: a norma quattrocentesca vale 'giallina', sí da completare la serie canonica dei colori floreali, per cui vedi ad es. ANTONIO BONCIANI, *Giardino* II 113 «vermigli fiori, azzurri e bianchi e gialli» (Lanza, I 311).

78   3-4. Immagine laurenziana, cfr. son. *Le frondi giovinette* 3 «e Flora il suo bel seno a Febo aprire» (*Canz.* LXXXVII), applicata all'immagine

ardisce aprire il seno al sol la rosa:
questa di verde gemma s'incappella,
quella si mostra allo sportel vezosa,
l'altra, che 'n dolce foco ardea pur ora,
languida cade e 'l bel pratello infiora.

79   L'alba nutrica d'amoroso nembo
          gialle, sanguigne e candide vïole;
          descritto ha 'l suo dolor Iacinto in grembo,
          Narcisso al rio si specchia come suole;
          in bianca vesta con purpureo lembo
          si gira Clizia palidetta al sole;

della rosa secondo il motivo di *Corinto* 169-70 «Eranvi rose candide e vermiglie: / alcuna a foglia a foglia al sol si spiega».
   5. Per la stilizzazione della rosa in boccio cfr. il v. 25 dell'elegia *De rosis
nascentibus* attr. ad AUSONIO «Haec viret angusto foliorum tecta galero»
(Bessi) e LORENZO, *Corinto* 174 «chi le sue chiuse foglie all'aer niega». -
s'incappella: il verbo è dantesco, *Par.* XXXII 72.
   6. *si mostra allo sportel*: 'si affaccia dall'apertura del bocciolo' ovvero 'co-
mincia a sbocciare'.
   7. *dolce foco*: per il colore. - *pur ora*: 'solo un attimo fa'.
   8. Cfr. ancora LORENZO, *Corinto* 175 «altra, cadendo, a pie' il terreno
infiora» (la presenza del poemetto laurenziano in questa ottava è registrata
da Sapegno).

79   1. *d'amoroso nembo*: 'con una nube premurosa' (di rugiada), clausola
petrarchesca, *RVF* CXXVI 45, in rima con *grembo* e *lembo* come qui e come a I 122.
   2. La distinzione cromatica deriva da PLINIO, *Nat. Hist.* XXI 14
(Orlando).
   3. Per la morte di Giacinto, dal cui sangue Apollo fece sbocciare il fiore
omonimo che sembra porti inciso sui petali il proprio lamento, vedi in part.
OVIDIO, *Met.* X 215-16 e *Fasti* V 224; P. ne torna a parlare in *Commento
alle «Selve» di Stazio* 392.
   4. Per la favola di Narciso vedi OVIDIO, *Met.* III 407-510 e *Fasti* V
225-26, dove, come qui, fa seguito a quella di Giacinto.
   5. La descrizione del girasole sembra memorizzare PETRARCA, *RVF*
CLXXXV 9; vedi anche *Orfeo* 111.
   6. Cfr. OVIDIO, *Met.* IV 269-70 «Illa suum, quamvis radice tene-
tur, / vertitur ad Solem mutataque servat amorem» (già riecheggiato dal pre-
sunto Dante del son. *Nulla mi parve mai* 9-10 «né quella ch'a veder lo sol
si gira / e 'l non mutato amor mutata serba»), ma il colore deriva da LO-

Adon rinfresca a Venere il suo pianto,
tre lingue mostra Croco, e ride Acanto.

80   Mai rivestí di tante gemme l'erba
la novella stagion che 'l mondo aviva.
Sovresso il verde colle alza superba
l'ombrosa chioma u' el sol mai non arriva;
e sotto vel di spessi rami serba
fresca e gelata una fontana viva,
con sí pura, tranquilla e chiara vena,
che gli occhi non offesi al fondo mena.

RENZO, *Selve* I 26 1-2 «Lascerà Clizia il suo antico amante, / volgendo lassa il pallidetto volto»; e si ricordi pure *Comento* son. II 2 «rimiro Clizia pallida nel volto» e nella prosa che precede «veramente il fiore è di colore pallido, perché è giallo e bianco».

7. *Adon*: l'anemone, in cui fu mutato dopo la morte il giovinetto amato da Venere, cfr. OVIDIO, *Met.* X 710-39. - *rinfresca*: 'rinnova'.

8. Il croco, con tre petali, è il fiore dello zafferano in cui si mutò l'amante di Smílace; l'acanto quello in cui si trasformò la ninfa omonima amata da Apollo. Si aggiunga che un precedente di questa mitologica enumerazione di fiori è in Boccaccio, *Ameto* XXVI, ove essi hanno valore simbolico di antidoto contro la smodata lussuria (cfr. M. MASSAGLIA, *Il giardino di Pomena nell'«Ameto» del Boccaccio*, «Studi sul Boccaccio», XV [1985-86], 252-55).

80   2. *la novella stagion*: la primavera.

3. *Sovresso*: prep. rafforzata (Rohlfs 496); il *verde colle* è il medesimo di I 70 5. - *alza*: assoluto, 'si erge'; sogg. è *l'ombrosa chioma* del verso successivo (cfr. DANTE, *Purg.* XXXII 40-42).

4. *u'el... arriva*: 'nel cui interno il sole non riesce mai a penetrare'.

5. *vel*: 'riparo'.

6. Cfr. I 89 2; l'immagine deriverà da Stazio, *Silvae* I 2 155 «perspicui vivunt in marmore fontes» (Cesarini Martinelli), chiosato da P. nel suo *Comento* 239 «Vivunt, vel quia aquae vivae, vel quia in eius margine isculti essent e marmore pueri»; ma si trova anche in volgare, ad es. ANTONIO BONCIANI, cap. *O glorïoso e trionfante* (circa 1470) 97-98 «ed è quest'acqua tanto pulcra e chiara / che pare argento vivo tremolante» (Lanza, I 297), e BOIARDO, *Orl. inn.* I XIX 64 1 «fontana viva» (pure in clausola di verso) e II IV 26 1-2.

8. Eco di CLAUDIANO, *De raptu Pros.* II 115-17 «et late pervius umor / ducit inoffensos liquido sub flumine visus / imaque perspicui prodit secreta profundi» (Nannucci). - *gli occhi non offesi*: 'lo sguardo cui l'acqua non pone ostacoli'.

81 L'acqua da viva pomice zampilla,
       che con suo arco il bel monte sospende;
       e, per fiorito solco indi tranquilla
       pingendo ogni sua orma, al fonte scende:
       dalle cui labra un grato umor distilla,
       che 'l premio di lor ombre alli arbor rende;
       ciascun si pasce a mensa non avara,
       e par che l'un dell'altro cresca a gara.

82 Cresce l'abeto schietto e sanza nocchi
       da spander l'ale a Borea in mezo l'onde;

---

81 1. Cfr. CLAUDIANO, *De raptu Pros.* II 103-4 «vivo de pumice fontes / roscida mobilibus lambebant gramina rivis» (Nannucci) - *viva*: 'dura,
compatta' (cfr. GDLI s v. *Pietra* 2) o, forse meglio, 'naturale, non lavorata'.
   2. Cfr. STAZIO, *Silvae* I 5 27-28 «praecelsis quarum vaga molibus unda / crescit et innumero pendens transmittitur arcu» (Cesarini Martinelli),
cui si aggiunga OVIDIO, *Met.* III 159-60 «nam pumice vivo / et levibus to-
fis nativum duxerat arcum»; e si veda pure il *Commento* staziano 338, dove P. spiega che l'«arcus» va inteso come acquedotto sospeso su arcate, mentre
qui e in *Ambra* 600-603 si tratta di un condotto sotterraneo (*pomice* sogg.
di *sospende*).
   4. *pingendo ogni sua orma*: 'muovendo ogni suo passo', con metafora an-
tropomorfa.
   5. Cfr. STAZIO, *Silvae* I 5 48-50 «sed argento felix propellitur unda / ar-
gentoque cadit labrisque nitentibus instat / delicias mirata suas et abire re-
cusat» (Cesarini Martinelli). - *labra*: 'margini'. - *grato*: 'gradevole'. - *distilla*:
'si sparge', come in DANTE, *Par.* VII 67.
   6. *premio*: 'compenso'.
   7. *ciascun*: degli alberi.
   8. *dell'altro*: paragone.

82 1. *Cresce*: ripresa di tipo capfinido. - *abeto*: con metaplasmo di declinazione. - *schietto e sanza nocchi*: 'dritto e senza nodi', per contrasto con
l'immagine dantesca, *Inf.* XIII 5 «non rami schietti, ma nodosi e 'nvolti»;
quanto al secondo emistichio si ricordi OVIDIO, *Met.* X 94 «enodisque
abies» (Nannucci).
   2. *da spander... l'onde*: 'atto ad aprir le vele (metaf. ali) in faccia al vento
in alto mare'; cfr. VIRGILIO, *Georg.* II 68 «casus abies visura marinos» (Carducci) e CLAUDIANO, *De raptu Pros.* II 107 «apta fretis abies» (Carducci),
in volgare LUCA PULCI, *Pístole* XII 43 «abete utile a fare antenne». Per *spander l'ali* nel gergo marinaro, cfr. il volgarizzamento virgiliano di Ciampolo
degli Ugurgeri: «allora moviamo le navi, e tentiamo la via, e spandiamo l'a-
li delle vele» (ed. Gotti, Firenze, 1858, 95). Borea è il vento che spira da
settentrione, figlio di Astreo e dell'Aurora.

l'elce che par di mèl tutta trabocchi,
e 'l laur che tanto fa bramar suo fronde;
bagna Cipresso ancor pel cervio gli occhi
con chiome or aspre, e già distese e bionde;
ma l'alber, che già tanto ad Ercol piacque,
col platan si trastulla intorno all'acque.

83   Surge robusto el cerro et alto el faggio,
nodoso el cornio e 'l salcio umido e lento,
l'olmo fronzuto e 'l frassin pur selvaggio;
el pino alletta con suoi fischi il vento;
l'avorniol tesse ghirlandette al maggio,
ma l'acer d'un color non è contento;

3. Cfr. CLAUDIANO, *De raptu Pros.* II 109 «ilex plena favis» (Nannucci).
4. *fa bramar*: per la dignità di imperatore o di poeta sancita dall'alloro.
5. Ciparisso infatti, addolorato per aver ucciso involontariamente il suo cervo, secondo OVIDIO, *Met.* X 134-35 «munusque supremum / hoc petit a superis, ut tempore lugeat omni» (Nannucci).
6. Eco di OVIDIO, *Met.* X 137-39 «in viridem verti coeperunt membra colorem / et, modo qui nivea pendebant fronte capilli, / horrida caesaries fieri» (Carducci). - *aspre*: 'ispide'. - *già*: 'un tempo'. - *distese*: 'lisce'.
7. *alber*: non generico ma con significato attestato nel fiorentino quattrocentesco di 'pioppo'; cfr. il dizionarietto mitologico di Luigi Pulci: «L'albero: è consacrato a Ercole» (Carrai, *Le muse dei Pulci* 52), mentre il GDLI lo documenta a partire da Vasari.

83   1. *et alto el faggio*: clausola virgiliana, *Geor.* I 173 «altaque fagus».
2. *nodoso el cornio*: per l'epiteto cfr. OVIDIO, *Met.* VII 678. - *umido e lento*: perché predilige le rive dei fiumi e si protende verso il basso; cfr. OVIDIO, *Met.* X 96 «amnicolaeque simul salices» incrociato con VIRGILIO, *Buc.* III 83 «lenta salix» (ripreso da Boccaccio, *Ameto* XXVI «la lenta salice»).
3. *fronzuto*: cfr. VIRGILIO, *Buc.* II 70 «frondosa vitis in ulmo» e Columella, *De re rust.* X 13 (Ghinassi); e vedi anche I 20 7 e n. - *selvaggio*: 'situato nei boschi', cfr. VIRGILIO, *Buc.* VII 65 e COLUMELLA, *De arb.* XVI 1 (Ghinassi).
4. *alletta*: 'seduce'. - *suoi fischi*: l'immagine virgiliana, *Buc.* VIII 22-23 «pinosque loquentis / semper habet», torna in *Orfeo* 91, *Manto* 148 e *Rusticus* 11-12 (estesa anche al cipresso); per altra reinterpretazione vedi Francesco Arzochi, *Egloghe* I 13-14 «Fu già il bosco gryneo frondoso e florido / in ogni parte e pini ivi cantavano».
5. *avorniol*: orniello, dai fiori gialli a grappoli (*ghirlandette*).
6. *d'un color non è contento*: giacché le sue foglie ne hanno diversi, OVIDIO, *Met.* X 95 «acerque coloribus impar» (Nannucci); come la viola in *Rusticus* 184 «Nigraque non uno viola est contenta colore».

la lenta palma serba pregio a' forti,
l'ellera va carpon co' pie' distorti.

84 Mostronsi adorne le vite novelle
d'abiti varie e con diversa faccia:
questa gonfiando fa crepar la pelle,
questa racquista le già perse braccia;
quella, tessendo vaghe e liete ombrelle,
pur con pampinee fronde Apollo scaccia;
quella ancor monca piange a capo chino,
spargendo or acqua per versar poi vino.

7. Cfr. OVIDIO, *Met.* X 102 «lentae victoris premia palmae» (Carducci)
e LUCA PULCI, *Pístole* XII 22-24. - *lenta*: 'flessibile', come al v. 2. - *pregio*:
'premio'.

8. Tradotto da OVIDIO, *Met.* X 99 «flexipedes hederae» (Carducci) utilizzando l'immagine della dantesca femina balba, *Purg.* XIX 8 «sovra i pie'
distorta» (pure in clausola). - *ellera*: forma fiorentina costante nel poemetto, cfr. I 107 8 e 111 1.

84 1-2. *novelle*: piú che 'piantate di recente' intenderei 'rinverdite di fronde nuove', come nella chiusa del *Purg.* dantesco le «piante novelle / rino-
vellate di novella fronda». - *d'abiti... faccia*: per i differenti colori e per le
diverse sagome dell'uva vedi BOCCACCIO, *Ameto* XXVI «cariche d'uve dorate e purpuree di divise forme»; e quanto alla metafora relativa alla buccia come abito ivi («le piacevoli castagne difese da aspra veste... le cipolle
coperte di molte vesti») e il brano virgiliano cit. in n. al verso successivo.

3. Cfr. VIRGILIO, *Geor.* II 74-75 «qua se medio trudunt de cortice gem-
mae / et tenuis rumpunt tunicas» (Carducci). - *gonfiando*: assoluto per il rifless. - *fa crepar la pelle*: 'fa screpolare la buccia'.

4. *racquista... braccia*: 'rimette i tralci potati'; «brachia» per i tralci della vite era già in VIRGILIO, *Geor.* II 368.

5. Cfr. VIRGILIO, *Buc.* IX 42 «lentae texunt umbracula vites» (Nannucci). - *vaghe*: cfr. I 77 4 e n.

6. Piú che all'immagine generica del bosco che ripara dal sole (OVIDIO,
Met. V 388-89) si avvicina ad ANTONIO BONCIANI, *Giardino* I 85-87 «La
fronda di Bacco nel colmo è datorno; / sí folta sopra' cerchi si spargia / che
Febo non traspar nel mezo giorno» (Lanza, I 307). - *pampinee fronde*: è sintagma ovidiano, *Met.* III 667, richiamato anche in *Rusticus* 328.

7. *quella*: conclude la sequenza anaforica. - *monca*: 'potata'. - *a capo chino*: nell'atto di dolersi per l'oltraggio; clausola dantesca, *Inf.* XV 44.

8. *acqua*: la linfa. - *poi*: alla vendemmia.

85   El chiuso e crespo bosso al vento ondeggia,
            e fa la piaggia di verdura adorna;
            el mirto, che sua dea sempre vagheggia,
            di bianchi fiori e verdi capelli orna.
            Ivi ogni fera per amor vaneggia,
            l'un ver l'altro i montoni armon le corna,
            l'un l'altro cozza, l'un l'altro martella,
            davanti all'amorosa pecorella.

86   E mughianti giovenchi a pie' del colle
            fan vie piú cruda e dispietata guerra,
            col collo e il petto insanguinato e molle,
            spargendo al ciel co' pie' l'erbosa terra.
            Pien di sanguigna schiuma el cinghial bolle,
            le larghe zanne arruota e il grifo serra,
            e rugghia e raspa e, per piú armar sue forze,
            frega il calloso cuoio a dure scorze.

---

85   1. Cfr. CLAUDIANO, *De raptu Pros.* II 110 «fluctuat hic denso crispata cacumine buxus» (Nannucci). - *chiuso e crespo*: 'conserto e irto'.
3. *sua dea*: Venere. - *vagheggia*: 'contempla'.
4. *e*: art. plur. - *verdi capelli*: 'foglie', cfr. ad es. ANTONIO BONCIANI, *Giardino* II 88-90 «Eravi pien di fior di zafferano, / che avean piú freschi e verdi e lor capelli / ch'uno ischiantato smeraldo sovrano» (Lanza, I 310).
6-7. Cfr. I 18 7 e n.; si noti l'incedere anaforico. - *armon*: 'predispongono al combattimento', cfr. I 71 8 e il v. 7 dell'ottava successiva. - *martella*: 'colpisce'.

86   1. Immagine accodata a quella dei montoni anche a I 18 7, qui applicata ai giovani tori secondo VIRGILIO, *Geor.* III 223-24.
3. Cfr. VIRGILIO, *Geor.* III 221 «lavit ater corpora sanguis» (Nannucci). - *molle*: cfr. I 41 4 e n.
4. Atteggiamento del toro che sta per caricare, cfr. VIRGILIO, *Geor.* III 234.
5-6. Cfr. I 30 1-2 e *Sylva in scabiem* 68-69; P. avrà avuto presenti VIRGILIO, *Geor.* III 255 «Ipse ruit dentesque Sabellicus exacuit sus» (Nannucci) e soprattutto APULEIO, *Met.* VIII 4 «dentibus attritu sonaci spumeus» (Ghinassi). - *sanguigna schiuma*: cfr. SILIO ITALICO IV 250 «sanguinea rutilat spuma» (Bessi). - *bolle*: 'freme', oltre alla «fervida... spuma» del cinghiale ovidiano, *Met.* VIII 287-88 (Bessi), si ricordi il cavallo che in VIRGILIO, *Geor.* III 203 «spumas aget ore cruentas» (Nannucci). - *il grifo serra*: 'stringe la bocca' (propriamente il muso) preparandosi ad attaccare; cfr. *Orfeo* 59.
7-8. *rugghia*: verbo assegnato al cinghiale già da Boccaccio, *Caccia di D.* VII 41; *Teseida* I 38 3 e VII 119 5; *Ninfale fiesolano* 214 6. - *e, per... scorze*:

87   Pruovon lor punga e daini paurosi,
e per l'amata druda arditi fansi;
ma con pelle vergata, aspri e rabbiosi,
e tigri infurïati a ferir vansi;
sbatton le code e con occhi focosi
ruggendo i fier leon' di petto dansi;
zufola e soffia il serpe per la biscia,
mentre ella con tre lingue al sol si liscia.

88   El cervio appresso alla Massilia fera
co' pie' levati la sua sposa abbraccia;
fra l'erbe ove piú ride primavera,
l'un coniglio coll'altro s'accovaccia;

cfr. VIRGILIO, *Geor.* III 256-57 «fricat arbore costas / atque hinc atque illinc umeros ad volnera durat» (Nannucci); quanto all'allitterante *calloso cuoio* (l'agg. torna in *Rusticus* 252 a proposito del muso della scrofa) si veda inoltre APULEIO, *Met.* VIII 4 «aper immanis atque invisitatus exsurgit toris callosae cutis obesus, pilis inhorrentibus corio squalidus» (Ghinassi), e si ricordi pure l'elefante «calloso e nero» che a sua volta «stende il grifo lungo» in PULCI, *Morgante* XIV 73. - *armar*: cfr. il v. 6 dell'ottava prec. e n. - *scorze*: sineddoche per 'alberi'.

87   1. *Pruovon lor punga*: latineggiante (Ghinassi 110); il sost. è nella forma dantesca, *Inf.* IX 7.
2. *druda*: 'compagna'.
3. *vergata*: 'striata', cfr. SENECA, *Phaedra* 344 «virgatas... tigres»; SILIO ITALICO, *Punic.* V 148; CLAUDIANO, *De laudibus Stil.* I 66.
6. Cfr. PETRARCA, *Tr. Pud.* 19-20 «Non con altro romor di petto dansi / duo leon' fieri»; anche se l'immagine era già in ESIODO, *Scudo d'Ercole* 402-4.
7-8. Calco su DANTE, *Purg.* VIII 97-102. - *con tre lingue*: cfr. VIRGILIO, *Aen.* II 471-75 «coluber... linguis micat ore trisulcis».

88   1. *Massilia fera*: il leone, che popola i deserti africani indicati per sineddoche dalla regione abitata dai Massili; cfr. CLAUDIANO, *De raptu Pros.* II Praef. 28 «Massylam cervi non timuere iubam».
2. Non «l'atto della fuga» (Orlando) ma quello dell'amplesso, non turbato, proprio perché nel regno di Venere, dalla vicinanza del leone.
4. *s'accovaccia*: 'giace', cfr. LUCA PULCI, *Pístole* VIII 83 «m'accovacciolo» (Ghinassi) e anche FRANCESCO ARZOCHI, *Egloghe* III 55 «s'accova».

le semplicette lepri vanno a schiera,
de' can' secure, ad amorosa traccia:
sí l'odio antico e 'l natural timore
ne' petti ammorza, quando vuole, Amore.

89   E muti pesci in frotta van notando
dentro al vivente e tenero cristallo,
e spesso intorno al fonte roteando
guidon felice e dilettoso ballo;
tal volta, sovra l'acqua un po' guizzando,
mentre l'un l'altro segue, escono a gallo:
ogni loro atto sembra festa e gioco,
né spengon le fredde acque il dolce foco.

90   Li augelletti dipinti intra le foglie
fanno l'aere addolcir con nuove rime,
e fra piú voci un'armonia s'accoglie
di sí beate note e sí sublime,

5-6. Cfr. VIRGILIO, *Buc.* VIII 28 «cum canibus timidi venient ad pocula dammae» (Nannucci). - *semplicette*: 'sprovvedute', come la farfalla di PETRARCA, *RVF* CXLI 2. - *a schiera*: 'in gruppo'. - *secure*: 'senza paura'. - *ad amorosa traccia*: 'al richiamo erotico' ovvero 'in cerca del compagno'.

7. *antico*: 'atavico'.

8. *ammorza*: 'estingue'.

89   1. *muti pesci*: junctura oraziana, *Od.* IV 3 19. - *in frotta*: cfr. I 30 4.

2. Cfr. I 80 6 e n.

4. *guidon*: 'conducono'.

6. *a gallo*: forma popolareggiante indotta dalla rima, cfr. Ghinassi 25-26.

7. *festa e gioco*: dittologia sinonimica non inconsueta, in rima anche in PULCI, *Morgante* XIV 45 8 «che si godea contenta in festa e 'n gioco».

8. *foco*: dell'amore.

90   1. *augelletti dipinti*: sono i «pictaeque volucres» virgiliani, *Geor.* III 243 e *Aen.* IV 525 (Nannucci); in volgare vedi LORENZO, *Ambra* 9 8 «uccei dipinti et vaghi». - *intra le foglie*: clausola dantesca, *Purg.* XXVIII 17.

2. *nuove rime*: 'canti di rara dolcezza', sintagma dantesco, *Purg.* XXIV 50.

3. Cfr. DANTE, *Par.* VI 124-26, ma il verbo, che denota la sintesi delle diverse melodie, deriva da *Purg.* XXVIII 19.

4. *sublime*: plur. riferito a *note*.

che mente involta in queste umane spoglie
non potria sormontare alle sue cime;
e dove Amor gli scorge pel boschetto,
salton di ramo in ramo a lor diletto.

91   Al canto della selva Ecco rimbomba,
ma sotto l'ombra che ogni ramo annoda,
la passeretta gracchia e a torno romba;
spiega il pavon la sua gemmata coda,
bacia el suo dolce sposo la colomba,
e bianchi cigni fan sonar la proda;
e presso alla sua vaga tortorella
il pappagallo squittisce e favella.

92   Quivi Cupido e' suoi pennuti frati,
lassi già di ferir uomini e dei,
prendon diporto, e colli strali aurati

5-6. *che mente... cime*: 'tale che mente umana non la potrebbe comprendere'. - *involta*: 'imprigionata'. - *sormontare*: 'salire'. - *cime*: 'altezze', anziché vette degli alberi come nel passo dantesco che P. andava qui utilizzando
(*Purg.* XXVIII 14).
    7. *gli scorge*: 'li scorta'.
    8. *di ramo in ramo*: sintagma dantesco, *Purg.* XXVIII 19.

91   1. Cfr. PULCI, *Morgante* XXVII 50 8 «e per le selve rimbombar poi
Ecco».
    2. *annoda*: 'procura intrecciandosi con gli altri'.
    3. *romba*: 'fa rumore'.
    4. Motivo classico (FEDRO III 18 8, MARZIALE XIII 70, e soprattutto
OVIDIO, *Am.* II 6 55 «explicat ipsa suas ales Iunonia pinnas») ripreso in
Rusticus 431. - *gemmata*: allude ai cerchietti variopinti che ornano la coda
del pavone; cfr. STAZIO, *Silvae* II 4 26-27 «quem non gemmata volucris
Iunonia cauda / vinceret aspectu» (Gorni).
    5. OVIDIO, *Am.* II 6 56 «oscula dat cupido blanda columba mari»
(Nannucci).
    6. *sonar la proda*: 'risonare la riva' col loro canto.
    7-8. Cfr. PLINIO, *Nat. Hist.* X 96, e OVIDIO, *Her.* XV 38 «et niger a
viridi turtur amatur ave» (Nannucci). - *vaga*: 'graziosa'.

92   1. *pennuti*: cfr. CLAUDIANO, *Epith. Hon.* 204 «pinnata cohors».
    3. *diporto*: 'svago'. - *strali aurati*: cfr. I 71 8 e n., l'agg. torna a II 38 4.

fan sentire alle fere i crudi omei;
la dea Ciprigna fra' suoi dolci nati
spesso sen viene, e Pasitea con lei,
quetando in lieve sonno gli occhi belli
fra l'erbe e' fiori e' gioveni arbuscelli.

93   Muove dal colle, mansueta e dolce,
la schiena del bel monte, e sovra i crini
d'oro e di gemme un gran palazo folce,
sudato già nei cicilian camini.
Le tre Ore, che 'n cima son bobolce,
pascon d'ambrosia i fior sacri e divini:
né prima dal suo gambo un se ne coglie,
ch'un altro al ciel piú lieto apre le foglie.

94   Raggia davanti all'uscio una gran pianta,

4. *sentire*: 'provare'. - *omei*: metonimia, 'pene'.
5. *Ciprigna*: Venere; Pulci annotava «chiamasi Ciprigna perché fu reina in Cipri» (Carrai, *Le muse dei Pulci* 45). - *nati*: latinismo, 'figli', in rima anche in DANTE, *Inf.* IV 59.
6. *Pasitea*: cfr. II 22 1-3 e n.
7. *quetando*: 'ristorando'. - *lieve sonno*: la junctura era già in ORAZIO, *Epod.* II 28 «somnos quod invitet levis» (Nannucci) e *Od.* II 16 15, cui si aggiunga VIRGILIO, *Aen.* V 838-39 «cum levis aetheriis delapsus Somnus ab astris / aëra dimovit tenebrosum»; in *Eleg.* VII 261 «levem... soporem».

93 1. *Muove*: 'si diparte'. - *mansueta*: 'non impervia'.
2. *la schiena*: 'il dorso', cfr. I 70 5. - *sovra i crini*: 'sul crinale'.
3. *d'oro e di gemme*: riferito a *palazo*. - *folce*: latinismo per 'sostiene', già volgarizzato da Dante, *Par.* XXIII 130 «soffolce»; cfr. *Manto* 38.
4. *sudato*: 'fabbricato con fatica', metafora della latinità argentea, cfr. Ghinassi 97. - *cicilian camini*: le fornaci dell'Etna, il sintagma deriva da STAZIO, *Silvae* I 1 3 «Siculis... caminis»; per la morfologia del sost. cfr. I 8 7 e n.
5. *'n cima*: sulla sommità del monte. - *bobolce*: 'coltivatrici', poiché le Ore erano propizie allo sbocciare dei fiori ed al maturare dei frutti. Cosí P. intendeva la voce in rima in DANTE, *Par.* XXIII 132, al pari di Landino e, ad es., di LORENZO, *De Summo Bono* I 49.
6. *ambrosia*: il cibo degli dei.
8. *apre le foglie*: 'sboccia'.

94 1. *Raggia*: 'risplende', cfr. II 38 4. - *una gran pianta*: il cedro trapiantato dagli Orti delle Esperidi.

che fronde ha di smeraldo e pomi d'oro:
e pomi ch'arrestar fenno Atalanta,
ch'ad Ippomene dienno il verde alloro.
Sempre sovr'essa Filomela canta,
sempre sott'essa è delle Ninfe un coro;
spesso Imeneo col suon di sua zampogna
tempra lor danze, e pur le noze agogna.

95 La regia casa il sereno aier fende,
fiammeggiante di gemme e di fino oro,
che chiaro giorno a meza notte accende;
ma vinta è la materia dal lavoro.
Sovra a colonne adamantine pende
un palco di smeraldo, in cui già fuoro
aneli e stanchi, drento a Mongibello,
Sterope e Bronte e ogni lor martello.

3-4. Per la gara tra Atalanta ed Ippomene, vedi OVIDIO, *Met.* X 560 sgg. - *verde alloro*: in segno di vittoria.
5. *essa*: la pianta del v. 1; per Filomela trasformata in usignolo vedi I 60 3-4 e n.
6. *coro*: 'gruppo', cfr. I 107 5, II 2 3 e 16 7.
7. *Imeneo*: il dio delle nozze.
8. *tempra*: 'regola'. - *pur*: 'sempre'. - *agogna*: 'desidera'.

95 1-2. Cfr. OVIDIO, *Met.* II 1-2 «Regia Solis erat sublimibus alta columnis, / clara micante auro flammasque imitante piropo» (Nannucci), incrociato con CLAUDIANO, *Epith. Hon.* 87 «Lemnius haec etiam gemmis extruxit et auro» (Nannucci); e si noti che *regia*, a differenza che nella fonte ovidiana, è qui agg. - *sereno aier*: ogg., junctura petrarchesca, *RVF* CVIII 4, CXXVII 58 e CXLV 6. - *fende*: 'taglia', cfr. II 17 8. - *fiammeggiante*: riferito a *casa*, cfr. II 13 5.
3. Cfr. PETRARCA, *RVF* CCXV 13. - *accende*: dallo splendore.
4. Calco ovidiano, *Met.* II 5 «Materiam superabat opus» (Nannucci), a dire che l'artefice aveva forgiato i materiali a suo piacimento.
5-6. Confluiscono i ricordi di VIRGILIO, *Aen.* VI 552 «solidoque adamante columnae» (Nannucci), STAZIO, *Silvae* I 2 152 «pendent innumeris fastigia nixa columnis» (Nannucci), e CLAUDIANO, *Epith. Hon.* 88-89 «trabibusque smaragdi / supposuit caesas hyacinthi rupe columnas» (Carducci). - *pende*: latinismo, 'sta sospeso'. - *palco*: 'soffitto'.
7. *aneli*: 'ansanti', cfr. DANTE, *Par.* XXII 5. - *Mongibello*: l'Etna, cfr. I 104 8.
8. *Sterope e Bronte*: ciclopi fabbri di Vulcano, ricordati da STAZIO, *Silvae* I 1 3-4.

96   Le mura a torno d'artificio miro
forma un soave e lucido berillo;
passa pel dolce orïental zaffiro
nell'ampio albergo el dí puro e tranquillo;
ma il tetto d'oro, in cui l'estremo giro
si chiude, contro a Febo apre il vessillo;
per varie pietre il pavimento ameno
di mirabil pittura adorna il seno.

97   Mille e mille color' formon le porte,
di gemme e di sí vivi intagli chiare,

96   1. *miro*: sinonimo di mirabil, al v. 8.

2. *lucido*: 'rilucente'. - *berillo*: sogg., minerale dall'aspetto vitreo, cfr. CLAUDIANO, *Epith. Hon.* 90 «beryllo paries» (Nannucci).

3. *pel dolce orïental zaffiro*: 'attraverso le finestre di zaffiro', giacché sull'eco dantesca, *Purg.* I 13 «dolce color d'orïental zaffiro», s'inserisce la reminiscenza di PETRARCA, *RVF* CCCXXV 16-17 «Muri eran d'alabastro e 'l tetto d'oro, / d'avorio uscio e fenestre di zaffiro».

4. *el dí... tranquillo*: 'la luce del giorno tersa e serena'.

5. *tetto d'oro*: junctura petrarchesca (vedi n. al v. 3) impiegata per tradurre STAZIO, *Silvae* I 3 35 «auratas trabes» (Cesarini Martinelli), e vedi il relativo *Commento* 282 dove P. cita i «laquearia inaurata» di PLINIO, *Nat. Hist.* XXXIII 57, luoghi cui potrebbe essersi sovrapposto il ricordo della descrizione della chiesa di S. Lorenzo in LANDINO, *Xandra* I 24 113 «Tunc licet aurato niteant laquearia tecto...». - *l'estremo giro*: 'il perimetro delle pareti' (Cesarini Martinelli) o forse 'l'ultimo piano' (Momigliano, Sapegno e altri).

6. *contro... vessillo*: rifiutando l'interpretazione carducciana di *vessillo* come 'tetto a foggia di padiglione'(cfr. Ghinassi 172), la Cesarini Martinelli, 133, ha proposto d'intendere «resta aperto in qualche punto alla luce del sole»; si osservi però che in tal modo P. verrebbe a confermare quanto già detto ai vv. 3-4, mentre la cong. avversativa del v. 5 pone la proposizione in contrasto con l'immagine del sole che penetra dalle finestre, sicché l'espressione equivarrà a dire che il tetto dorato 'si spiega al sole (offrendo riparo contro i suoi raggi) come fosse una bandiera', senza escludere peraltro che *vessillo* stia qui per 'velo', latinamente indicato dal suo diminutivo.

7-8. Cfr. STAZIO, *Silvae* I 3 53-56 «Nam splendor ab alto / defluus et nitidum referentes aera testae / monstrave solum, varias ubi picta per artes / gaudet humus superatque novis asarota figuris» (Cesarini Martinelli). - *il seno*: l'interno del palazzo.

97   2. *vivi intagli*: 'bassorilievi che sembrano scene viventi'. - *chiare*: latinismo.

che tutte altre opre sarian roze e morte,
da far di sé Natura vergognare.
Nell'una è insculta la 'nfelice sorte
del vecchio Celio; e in vista irato pare
suo figlio, e colla falce adunca sembra
tagliar del padre le feconde membra.

98   Ivi la Terra con distesi ammanti
par ch'ogni goccia di quel sangue accoglia,
onde nate le Furie e' fier Giganti
di sparger sangue in vista mostron voglia;
d'un seme stesso in diversi sembianti
paion le Ninfe uscite sanza spoglia,
pur come snelle cacciatrice in selva,
gir saettando or una or altra belva.

99   Nel tempestoso Egeo in grembo a Teti
si vede il frusto genitale accolto,
sotto diverso volger di pianeti
errar per l'onde in bianca schiuma avolto;
e drento nata in atti vaghi e lieti

---

3. *morte*: contrapposto a *vivi* del verso prec.

5. *insculta*: 'scolpita'.

6. *Celio*: Urano, evirato da Saturno secondo il mito narrato da ESIO-
DO, *Teog.* 176-82 e ripreso, fra gli altri, da BOCCACCIO, *Genealogiae* VIII
1 e da FICINO nel commento al *Filebo* di Platone (*Opera*, Basileae, 1576,
1217). - *in vista*: 'nell'aspetto', cfr. I 98 4, 113 7 e 124 7.

7. *colla falce adunca*: sintagma petrarchesco, *RVF* CLXVI 8, derivato
da OVIDIO, *Met.* XIV 628.

8. *feconde membra*: i testicoli.

98 1. *la Terra*: Gea aveva indotto il figlio Saturno ad evirare il padre.
- *distesi*: 'ampi'.

2-6. Riprende alla lettera ESIODO, *Teog.* 183-87. - *in vista*: replica, con
identico significato, il sintagma del v. 6 dell'ottava prec. - *sanza spoglia*:
'senza veste'.

99 Traduce ESIODO, *Teog.* 190-93.

1. *Teti*: la divinità marina.

2. *frusto*: 'brandello'.

3. *sotto... pianeti*: 'per varie stagioni'.

5. *drento*: vedi I 2 6 e n. - *vaghi*: cfr. I 41 7 e n.

una donzella non con uman volto,
da' zefiri lascivi spinta a proda,
gir sovra un nicchio, e par che 'l cel ne goda.

100   Vera la schiuma e vero il mar diresti,
e vero il nicchio e ver soffiar di venti;
la dea negli occhi folgorar vedresti,
e 'l cel riderli a torno e gli elementi;
l'Ore premer l'arena in bianche vesti,
l'aura incresparli e crin' distesi e lenti;
non una, non diversa esser lor faccia,
come par ch'a sorelle ben confaccia.

101   Giurar potresti che dell'onde uscissi
la dea premendo colla destra il crino,
coll'altra il dolce pome ricoprissi;

6. *una donzella*: Venere. - *non con*: inversione contemplata nella lingua antica, nella fattispecie evidenzia la litote che denota il carattere divino dell'espressione e dei tratti somatici di Venere.

7. Cfr. PSEUDO-OMERO, *Ad Afrodite* II 2-4. - *lascivi*: cfr. I 68 7 e n. - *a proda*: 'verso la riva'.

8. *sovra un nicchio*: 'su di una conchiglia', il particolare deriva da TI-BULLO III 3 34 «et faveas concha, Cypria, vecta tua»; sul motivo vedi Wind 321-22. - *ne goda*: perché «Urano non è piú, ormai, un dio solitario, ma prova piacere nell'essersi incarnato nella figlia appena nata» (Wind).

100   1-2. Cfr. OVIDIO, *Met.* VI 104 «verum taurum, freta vera putares» (Nannucci); si noti la simmetria dell'anafora in inizio di verso e in cesura. - *nicchio*: collegamento col finale dell'ottava prec.

3. *folgorar*: cfr. I 44 1 e n.

4. *riderli*: dal piacere, come per la foresta intorno a Simonetta a I 43 5; e cfr. pure I 99 8.

5. Cfr. PSEUDO-OMERO, *Ad Afrodite* II 58.

6. *distesi e lenti*: «sciolti e docili al gioco dell'aura che li incaspa» (Sapegno).

7-8. Ricorda la descrizione delle Eliadi in OVIDIO, *Met.* II 13-14 «facies non omnibus una, / non diversa tamen, qualem decet esse sororum» (Nannucci). - *confaccia*: assoluto per il rifless.

101   1-3. È l'atteggiamento della Venus Pudica ritratto anche nel celebre quadro di Botticelli e dallo stesso P. in *Ep. gr.* LIV. - *Giurar potresti*: DAN-

e, stampata dal pie' sacro e divino,
d'erbe e di fior' l'arena si vestissi;
poi, con sembiante lieto e peregrino,
dalle tre ninfe in grembo fussi accolta,
e di stellato vestimento involta.

102   Questa con ambe man' le tien sospesa
sopra l'umide trezze una ghirlanda
d'oro e di gemme orïentali accesa;
questa una perla alli orecchi accomanda;
l'altra al bel petto e' bianchi omeri intesa,
par che ricchi monili intorno spanda,
de' quai solien cerchiar lor proprie gole,
quando nel ciel guidavon le carole.

103   Indi paion, levate inver le spere,
seder sovra una nuvola d'argento:
l'aier tremante ti parria vedere

TE descrivendo l'angelo di uno dei bassorilievi purgatoriali X 40 «Giurato
si saria ch'el dicesse 'Ave!'». - *premendo... il crino*: cfr. OVIDIO, *Ars am.*
III 224 «nuda Venus madidas exprimit imbre comas» e *Ex Ponto* IV 1 30
«aequoreo madidas quae premit imbre comas» (entrambi segnalati da Wind);
e per il genere del sost. cfr. I 42 7 e n. - *dolce pome*: il seno, junctura dantesca, *Purg.* XXVII 115; per il sost. cfr. I 36 7-8 e n.
   4-5. Cfr. I 55 7-8, ma qui l'immagine dipende certo da ESIODO, *Teog.*
194-95.
   6. *peregrino*: 'di rara bellezza'.
   7. *dalle tre ninfe*: le Ore.
   8. Cfr. PSEUDO-OMERO, *Ad Afrodite* II 6.

102   2. *trezze*: forma con consonantismo non toscano affermatasi in poesia con lo Stilnovo.
   3. Cfr. PETRARCA, *Tr. Mor.* II 8.
   4. *accomanda*: 'appende', «traduzione mentale di un *accommodat*»
(Contini).
   5. *intesa*: 'intenta'.
   7-8. Cfr. PSEUDO-OMERO, *Ad Afrodite* II 11-13. - *carole*: 'danze'.

103   1. *levate*: 'sollevatesi'. - *spere*: metonimia, 'cieli'.
   3. *l'aier tremante*: Sapegno ricorda il modulo dell'esordio di son. caval-
cantiano «Chi è questa che ven, ch'ogn'om la mira, / che fa tremar di clari-
tate l'âre»; per il sost. cfr. I 34 1 e n.

nel duro sasso, e tutto il cel contento;
tutti li dei di sua biltà godere,
e del felice letto aver talento:
ciascun sembrar nel volto Meraviglia,
con fronte crespa e rilevate ciglia.

104   Nello estremo, se stesso el divin fabro
formò felice di sí dolce palma,
ancor dalla fucina irsuto e scabro,
quasi obliando per lei ogni salma,
con desire aggiugnendo labro a labro
come tutta d'amor gli ardessi l'alma:
e par vie maggior fuoco acceso in ello,
che quel ch'avea lasciato in Mongibello.

105   Nell'altra in un formoso e bianco tauro
si vede Giove per amor converso
portarne il dolce suo ricco tesauro,

5. Cfr. I 99 8.
6. Cfr. PSEUDO-OMERO, *Ad Afrodite* II 16-17. - *letto*: di Venere. - *talento*: 'desiderio'.
7-8. Cfr. PSEUDO-OMERO, *Ad Afrodite* II 18. - *ciascun*: degli dei. - *crespa*: 'corrugata' per lo stupore. - *rilevate*: 'inarcate'.

104   1. *Nello estremo*: 'da ultimo'. - *el divin fabro*: Vulcano.
2. *formò*: 'raffigurò plasmando la materia'. - *palma*: allude a Venere, conquistata e sposata.
3. *irsuto e scabro*: quasi sinonimi, letteralmente 'peloso e rozzo'.
4. *quasi obliando*: emistichio dantesco, *Purg.* II 75. - *salma*: 'gravezza'.
5. *aggiugnendo labro a labro*: 'congiungendo le proprie labbra a quelle di Venere', l'immagine dipende probabilmente da BIONE, *Epitafio di Adone* 44, e TEOCRITO XII 32, cui rinviava Nannucci.
7. *in ello*: caso obliquo dovuto alla rima, come a II 10 5.
8. *Mongibello*: cfr. I 95 7 e n.

105   1. *Nell'altra*: sottint. porta, in parallelo con *nell'una* di I 97 5. - *in un formoso e bianco tauro*: va legato a *converso* al verso successivo; uguale epiteto a proposito del medesimo Giove trasformatosi in toro presso OVIDIO, *Met.* II 851 e 859. Cfr. I 125 5.
3. *il dolce... tesauro*: Europa.

e lei volgere il viso al lito perso
in atto paventosa; e i bei crin' d'auro
scherzon nel petto per lo vento avverso;
la vesta ondeggia, e indrieto fa ritorno;
l'una man tiene al dorso, e l'altra al corno.

106   Le 'gnude piante a sé ristrette accoglie
quasi temendo il mar che lei non bagne:
tale atteggiata di paura e doglie
par chiami invan le dolci sue compagne;
le qual, rimase tra' fioretti e foglie,
dolenti Europa ciascheduna piagne.
«Europa», suona il lito, «Europa, riedi»,
e 'l tor nuota e talor li bacia e piedi.

4-5. *e lei volgere... paventosa*: cfr. OVIDIO, *Met.* II 873-74 «Pavet haec, lituaque ablata relictum / respicit» (Nannucci); Europa è analogamente ritratta «gli occhi al lito tenendo» da GIROLAMO BENIVIENI, *Egloghe* V 88. - *perso*: 'perduto'.

5-6. Cfr. OVIDIO, *Met.* I 527-29 «Nudabant corpora venti / obviaque adversas vibravant flamina vestes, / et levis impulsos retro dabat aura capillos» (Nannucci) e CLAUDIANO, *Fesc. Hon.* I 12 «luduntque vestis instabiles comae» (Bessi); l'immagine torna in *Eleg.* VII 81 e nella canz. *I' son costretto* (attr. a P.) 54. - *bei crin' d'auro*: identica clausola in PULCI, *Giostra* 1 8.

7. *per lo vento avverso*: variante del dantesco «per lo sole avverso» (*Par.* XXVII 28); l'aria, essendo la ninfa voltata indietro, le scompiglia i capelli sul petto.

8. Cfr. OVIDIO, *Met.* II 874-75 «et dextera cornum tenet, altera dorso / inposita est» (Nannucci) e MOSCO, *Id.* II 126-28; anche GIROLAMO BENIVIENI, *Egloghe* V 86-87 «et colla destra stringe / l'un corno e la sinistra ha sopra el dorso».

106   1-2. Cfr. OVIDIO, *Fasti* V 611-12 «Saepe puellares subduxit ab aequore plantas / et metuit tactus adsilientis aquae» (Warburg) e anche *Met.* VI 106-107 «tactumque vereri / adsilientis aquae timidasque reducere plantas» (Nannucci); su cui s'innesta DANTE, *Purg.* XXVIII 52-53 «con le piante strette / a terra ed intra sé», riecheggiato pure nella canz. *I' son costretto* 56-57. - *temendo... bagne*: 'temendo che il mare la bagni', si noti il costrutto latineggiante (timens ne).

3. *tale*: 'in tal modo'. - *di*: causale.

4. Cfr. I 113 8.

5-6. Cfr. I 113 7, e si osservi l'anacoluto con il passaggio dal sogg. plur. a un sogg. sing. - *rimase*: part. forte, 'rimaste'.

7. Cfr. I 63 5.

107   Or si fa Giove un cigno or pioggia d'oro,
          or di serpente or d'un pastor fa fede,
          per fornir l'amoroso suo lavoro;
          or transformarsi in aquila si vede,
          come Amor vuole, e nel celeste coro
          portar sospeso il suo bel Ganimede,
          qual di cipresso ha il biondo capo avinto,
          ignudo tutto e sol d'ellera cinto.

108   Fassi Nettunno un lanoso montone,
          fassi un torvo giovenco per amore;
          fassi un cavallo il padre di Chirone;
          diventa Febo in Tessaglia un pastore,

---

107   1-2. Prosegue la rappresentazione delle trasformazioni di Giove a fini erotici (per Leda, Danae, Proserpina e Mnemosine) sulla falsariga dell'ovidiana tela di Aracne, *Met.* VI in part. 113-14 «aureus ut Danaën... Mnemosynen pastor, varius Deoïda serpens» (Nannucci); analoga la sequenza di PICO, sest. *Era ne la stagion* 15-16 «che in cigno bianco, in toro, in pioggia d'oro / di nuovo convertir potrebbe Giove» (Sapegno). - *fa fede*: 'mostra fedele immagine'.

   3. *per... lavoro*: 'per compiere la sua fatica amorosa', cfr. la corrispondente raffigurazione nei bassorilievi dell'*Amorosa visione* boccacciana XVI 53-57.

   5. *nel celeste coro*: 'tra gli dei'.

   6. *sospeso*: dagli artigli. - *il suo bel Ganimede*: il giovinetto troiano che Giove, trasformatosi in aquila, rapí per farne il coppiere degli dei; la clausola in *Orfeo* 287.

   7. *qual*: relativo riferito a Ganimede; «nel poema ovidiano (l. X) la metamorfosi di Ciparisso precede immediatamente quella di Ganimede» (Contini). - *avinto*: 'inghirlandato'.

   8. *ignudo tutto*: in inizio di verso anche in Boccaccio, *Ninfale fiesolano* 43 5. - *ellera*: cfr. I 83 8 e n.

108   1-3. Accenno agli amori di Nettuno per Teofane e per Arne sulla traccia di OVIDIO, *Met.* VI 115-19 («Te quoque mutatum torvo, Neptune, iuvenco / virgine in Aeolia posuit... aries Bisaltida fallis, / et te flava comas frugum mitissima mater / sensit equum»), con l'adattamento dell'ultima metamorfosi nettunia a Saturno, innamorato di Fillira, recuperando lo spunto del v. 126 del medesimo brano ovidiano «ut Saturnus equo geminum Chirona crearit». Cfr. I 125 6.

   4. *diventa*: varia l'anafora dei versi precc. - *un pastore*: per amore di Dafne.

e 'n picciola capanna si ripone
colui ch'a tutto il mondo dà splendore,
né li giova a sanar sue piaghe acerbe
perch'e' conosca la virtú dell'erbe.

109   Poi segue Dafne, e 'n sembianza si lagna
come dicessi: «O ninfa, non ten gire,
ferma il pie', ninfa, sovra la campagna,
ch'io non ti seguo per farti morire;
cosí cerva l'ion, cosí lupo agna,
ciascuna il suo nemico suol fuggire:
me perché fuggi, o donna del mio core,
cui di seguirti è sol cagione amore?»

5-6. Cfr. OVIDIO, *Met.* VI 122-24 «Est illic agrestis imagine Phoebus...
ut pastor Macareïda luserit Issen», incrociato con TIBULLO II 3 31-32 «De-
los ubi nunc, Phoebe, tua est? ubi delphica Pytho? / Nempe Amor in parva
te iubet esse casa?» (Carducci); e per il giro della frase vedi I 114 2-4. -
colui... splendore: cfr. DANTE, *Par.* XI 69 «colui ch'a tutto 'l mondo fe'
paura».
7-8. Cfr. ancora TIBULLO II 3 13-14 «Nec potuit curas sanare salubri-
bus herbis, / quicquid erat medicae vicerat artis Amor» (Nannucci); Apollo era infatti, oltre che dio del sole, «lo iddio della iscienzia et della medicina»
(chiosa di Luigi Pulci, cfr. Carrai, *Le muse dei Pulci* 44). - *perch'e'*: dichia-
rativo, 'per il fatto che'.

109   1. *segue*: sogg. Febo. - *'n sembianza si lagna*; 'come si evince dall'a-
spetto, si lamenta'.
3. Cfr. OVIDIO, *Met.* I 504-5 «Nympha, precor, Peneï, mane!... Nympha, mane!» (Nannucci), riecheggiato anche da PULCI, *Morgante* XVI 31
6-8.
4. Eco boccacciana, *Ninfale fiesolano* 100 5 «io non ti seguo per farti
morire» (Branca), che oscura quella di OVIDIO, *Met.* I 504 «non insequor
hostis» (Nannucci).
5-6. Cfr. OVIDIO, *Met.* I 505-7 «sic agna lupum, sic cerva leonem... fu-
giunt... hostes quaeque suos» (Nannucci); si noti l'introduzione del chiasmo rispetto alla fonte e che *agna* è al femm. per la coincidenza della
suggestione ovidiana con esigenze di rima.
7. *fuggi*: si osservi l'adnominatio in cesura rispetto alla voce in rima al
verso prec. - *donna*: 'signora, padrona'.
8. Altro calco di BOCCACCIO, *Ninfale fiesolano* 100 7 «ma sol Amor mi
ti fa seguitare» (Branca), che si sovrappone a OVIDIO, *Met.* I 507 «amor
est mihi causa sequendi» (Nannucci); e si noti che *seguirti* chiude la replicatio dei vv. 1 (*segue*) e 4 (*seguo*).

110   Dall'altra parte la bella Arïanna
colle sorde acque di Teseo si duole,
e dell'aura e del sonno che la 'nganna;
di paura tremando, come suole
per picciol ventolin palustre canna,
pare in atto aver prese tai parole:
«Ogni fera di te meno è crudele,
ognun di te piú mi saria fedele».

111   Vien sovra un carro, d'ellera e di pampino
coverto, Bacco, il qual duo tigri guidono,
e con lui par che l'alta arena stampino
Satiri e Bacche, e con voci alte gridono:
quel si vede ondeggiar, quei par che 'nciampino,

---

110   1. *Dall'altra parte*: probabile ricordo, dato il medesimo contesto, del
sopraggiungere di Bacco in CATULLO LXIV 251 «At parte ex alia...».
2. Cfr. OVIDIO, *Ars am.* I 531 «Thesea crudelem surdas clamabat ad un-
das» (Carducci). - *sorde*: al suo dolore. - *si duole*: 'si lamenta'.
3. Cfr. OVIDIO, *Her.* X 111-17 «Crudeles somni, quid me tenuistis iner-
tem?... Vos quoque crudeles, venti, nimiumque parati... in me iurarunt somnus ventusque» (Nannucci). - *dell'aura*: che sospinge la nave su cui Teseo
si allontana, cfr. CATULLO LXIV 164-66. - *del sonno che la 'nganna*: aggiungi
CATULLO LXIV 56 e OVIDIO, *Her.* X 5.
4-5. Cfr. OVIDIO, *Ars am.* I 539 «excidit illa metu» e 554 «ut levis in
madida canna palude tremit»; un accenno alla paura anche in *Her.* X 13.
6. Cfr. DANTE, *Purg.* X 43 e BOCCACCIO, *Amorosa visione* XVI 1. - *in
atto*: 'nell'atteggiamento', cfr. *Orfeo* 107. - *prese*: 'impresse' o forse 'fatte
proprie'.
7-8. Lamento ricalcato su OVIDIO, *Ars am.* I 536 «Perfidus ille abiit!»
e su CATULLO LXIV 137-44.

111   1-2. Cfr. OVIDIO, *Ars am.* I 549-50 «Iam deus in curru, quem sum-
mum texerat uvis, / tigribus adiunctis aurea lora dabat» (Carducci); le rime
sdrucciole marcano, cosí come nell'ottava successiva, l'ambito comico. - *ellera*: cfr. I 83 8 e n. - *il qual*: riferito al *carro*. - *guidono*: perché il dio ha
abbandonato le briglie.
3. *alta arena*: sintagma ovidiano, *Her.* X 20 «alta... harena»; l'agg. indica, alla latina, la profondità.
4. *Satiri e Bacche*: cfr. OVIDIO, *Ars am.* I 541-42, *Met.* IV 25 e XI 89.
5-8. Cfr. CATULLO LXIV 254-64, dove compaiono fra l'altro «tympa-
na» e «cornua» da cui dipendono *cembol* e *corno*. - *bee*: 'beve'. - *qual fa...*

quel con un cembol bee, quelli altri ridono;
qual fa d'un corno e qual delle man ciotola,
quale ha preso una ninfa e qual si ruotola.

112 Sovra l'asin Silen, di ber sempre avido,
con vene grosse nere e di mosto umide,
marcido sembra sonnacchioso e gravido;
le luci ha di vin rosse, infiate e fumide;
l'ardite ninfe l'asinel suo pavido
pungon col tirso, e lui con le man tumide
a' crin' s'appiglia; e mentre sí l'aizono,
casca nel collo, e' satiri lo rizono.

113 Quasi in un tratto vista amata e tolta
dal fero Pluto Proserpina pare
sovra un gran carro, e la sua chioma sciolta
a' zefiri amorosi ventilare;

---

delle man ciotola: 'chi beve in un corno e chi, a tale scopo, racchiude le mani per formare un recipiente'; e cfr. *Orfeo* 319.

112   1-2. Cfr. *Ovidio, Ars am*. I 543-4 «ebrius ecce senex: pando Silenus asello / vix sedet» e Virgilio, *Buc*. VI 14-15 «Silenum pueri somno videre iacentem / inflatum hesterno venas, ut semper, Iaccho» (Nannucci); la medesima raffigurazione in *Manto* 137-39. - *avido*: 'desideroso'.
3. *marcido*: per effetto del vino, cfr. Stazio, *Silvae* I 6 33 «marcida vina» (che fanno ubriacare). - *gravido*: 'appensantito' dall'ubriachezza.
4. *le luci*: 'gli occhi'. - *fumide*: 'annebbiate'.
5-7. Viene trasferito alle Baccanti l'atto compiuto da Sileno in Ovidio, *Ars am*. I 546 «ferula dum malus urget eques», da cui dipende *mentre*. - *tirso*: per il bastoncino delle Baccanti vedi *Orfeo* 295. - *e lui... s'appiglia*: cfr. Ovidio, *Ars am*. I 544 «et pressas continet arte iubas». - *tumide*: 'gonfie'.
8. Cfr. Ovidio, *Ars am*. I 547-48 «in caput aurito cecidit delapsus asello: / clamarunt Satyry 'surge, age, surge, pater!'» (Carducci). - *nel collo*: dell'asino. - *rizono*: 'rialzano'.

113   1-2. Cfr. Ovidio, *Met*. V 395 «paene simul visa est dilectaque raptaque Diti» (Nannucci). - *in un tratto*: 'nel medesimo tempo'.
3-4. Cfr. Claudiano, *De raptu Pros*. II 247-48 «Interea volucri fertur Proserpina curru / caesariem diffusa Noto» (Nannucci) e 30-31 dove Apollo «levibus projecerat auris / indociles errare comas» (Warburg).

la bianca vesta in un bel grembo accolta
sembra i colti fioretti giú versare:
lei si percuote il petto, e 'n vista piagne,
or la madre chiamando or le compagne.

114   Posa giú del leone il fero spoglio
Ercole, e veste di femminea gonna:
colui che 'l mondo da greve cordoglio
avea scampato, et or serve una donna;
e può soffrir d'Amor l'indegno orgoglio
chi colli omer' già fece al ciel colonna;
e quella man con che era a tenere uso
la clava ponderosa, or torce un fuso.

115   Gli omer' setosi a Polifemo ingombrano
l'orribil chiome e nel gran petto cascono,

5-6. Ctr. I 47 7-8 e n., cui si accluda qui OVIDIO, *Met.* V 398-99 «et
ut summa vestem laniarat ab ora, / collecti flores tunicis cecidere remissis»
(Nannucci). - *accolta*: 'raccolta'.

7-8. Cfr. OVIDIO, *Met.* V 396-98 «dea territa maesto / et matrem et co-
mites, sed matrem saepius, ore / clamat» (Nannucci); meno pertinente
CLAUDIANO, *De raptu Pros.* II 248-49; e vedi pure I 106 4-6. - *'n vista*: cfr.
I 97 6 e n.

114   1. *il fero spoglio*: la pelle del leone Nemeo di cui si copriva, cfr. SE-
NECA, *Phaedra* 317-18 «posuit... spolium leonis».

2-4. Allusione all'asservimento di Ercole ad Onfale, regina dei Lidi, per
cui l'eroe si era abbassato a vestire abiti femminili ed a svolgere lavori mu-
liebri. - *gonna*: 'veste', cfr. II 28 5 e 32 8. - *cordoglio*: 'afflizione'. - *avea
scampato*: 'aveva liberato', combattendo i mostri ed operando per il bene.

5-6. Cfr. OVIDIO, *Ars. am.* II 217-20 ed *Her.* IX 73-74, e si ricordi anche LUCA PULCI, *Pístole* IV 37-39. - *soffrir*: 'sopportare'. - *indegno orgoglio*:
'sfrontata arroganza'. - *colli omer'*: una canzone fiorentina dell'epoca, cre-
duta di Dante, invocava il ritorno di Ercole concludendo: «Et poi, in luogo
del gran Atalante, / Le stelle e 'l ciel rotante / Sostenne in questa dolorosa
valle, / Cosí sostenga il mondo con le spalle» (Cfr. Carrai, *Le muse dei Pulci* 105).

7-8. Piú che il rimprovero di Deianira in OVIDIO, *Her.* IX 75-80, P. ha
presente SENECA, *Phaedra* 323-4 «et manu, clavam modo qua gerebat, / fila
deduxit properante fuso» (Ghinassi). - *ponderosa*: 'pesante'. - *torce*: latinismo, cfr. SENECA, *Herc. Oet.* 373 «stamen intorquens manu» (Ghinassi).

115   1-2. Cfr. OVIDIO, *Met.* XIII 844-47 «coma plurima torvos / prominet in vultus umerosque, ut lucus, obumbrat, / nec, mea quod rigidis hor-

e fresche ghiande l'aspre tempie adombrano:
d'intorno a lui le sue pecore pascono,
né a costui dal cor già mai disgombrano
le dolce acerbe cur' che d'amor nascono,
anzi, tutto di pianto e dolor macero,
siede in un freddo sasso a pie' d'un acero.

116   Dall'uno all'altro orecchio un arco face
il ciglio irsuto lungo ben sei spanne;
largo sotto la fronte il naso giace,
paion di schiuma biancheggiar le zanne;
tra' piedi ha 'l cane, e sotto il braccio tace
una zampogna ben di cento canne:
lui guata il mar che ondeggia, e alpestre note
par canti, e muova le lanose gote,

---

rent densissima saetis / corpora, turpe puta» (Nannucci). - *ingombrano*: sogg.
chiome; le rime sdrucciole denotano il registro bucolico del quadretto di
Polifemo.
  3. *fresche ghiande*: di un ramo di quercia. - *aspre*: 'incolte'. - *adombrano*:
'riparano dal sole'.
  4. Cfr. VIRGILIO, *Aen.* III 660 «lanigerae comitantur oves» (Nannucci)
e OVIDIO, *Met.* XIII 781 «lanigerae pecudes nullo ducente secutae»; e vedi anche PONTANO, *Lyra* XVI 32-34.
  5. *disgombrano*: rima derivativa, 'si dileguano'; cfr. II 31 4.
  6. Cfr. I 8 4 e n.
  7-8. Cfr. OVIDIO, *Met.* XIII 778-80 «Prominet in pontum cuneatus acu-
mine longo / collis... Huc ferus adscendit Cyclops mediusque resedit» (Nannucci), cui si sovrappose però la memoria di LUCA PULCI, *Pístole* VIII 13-15
«L'omero ch'i' percossi tutto è macero / e duolmi ancora, e spesso mi divincolo / per riposarmi ove fa ombra uno acero». - *macero*: 'disfatto, sfibrato'.

116   1-2. Cfr. TEOCRITO XI 31-33 e OVIDIO, *Met.* XIII 851-52. - *sei*: numero canonico per simili iperboli, cfr. PULCI, *Morgante* XV 102 3.
  3. Cfr. ancora Teocrito XI 33.
  4. Cfr. I 86 5 e n.
  5-6. Cfr. OVIDIO, *Met.* XIII 784 «sumptaque harundinibus compacta
est fistula centum» (Nannucci) incrociato con LUCA PULCI, *Pístole* VIII 84
«due cani ho intorno e la zampogna rittima».
  7. *alpestre note*: 'rozze melodie', clausola petrarchesca, *RVF* L 19.
  8. *lanose gote*: la clausola dantesca relativa alle guance di Caronte, *Inf.*
III 97.

117 e dica ch'ella è bianca piú che il latte,
       ma piú superba assai ch'una vitella,
       e che molte ghirlande gli ha già fatte,
       e serbali una cervia molto bella,
       un orsacchin che già col can combatte;
       e che per lei si macera e sfragella,
       e che ha gran voglia di saper notare
       per andare a trovarla insin nel mare.

118 Duo formosi delfini un carro tirono:
       sovr'esso è Galatea che 'l fren corregge,
       e quei, notando parimente, spirono;
       ruotasi attorno piú lasciva gregge:
       qual le salse onde sputa, e quai s'aggirono,
       qual par che per amor giuochi e vanegge;
       la bella ninfa colle suore fide
       di sí rozo cantor vezzosa ride.

117 1. Cfr. TEOCRITO XI 19-20 e OVIDIO, *Met.* XIII 789.
 2. Cfr. TEOCRITO XI 21 e OVIDIO, *Met.* XIII 798 e 802.
 3. *gli*: femm.
 4-5. Cfr. OVIDIO, *Met.* XIII 836-37 «villosae catulos in summis montibus ursae / inveni et dixi 'Dominae servabimus istos'», e LUCA PULCI, *Driadeo* III 101 1-7; meno stringente LORENZO, *Corinto* 121-29.
 6. *si macera e sfragella*: dittologia sinonimica, 'si strugge'; in OVIDIO, *Met.* XIII 762-63 era invece Galatea a dir di Polifemo «nostrique cupidine captus / uritur».
 7-8. Cfr. TEOCRITO XI 60-62.

118 1-3. Cfr. ESIODO, *Scudo d'Ercole* 211-12. - *'l fren corregge*: 'regola il freno' (ossia tiene le briglie) dei delfini; per il verbo cfr. *Orfeo* 241. - *parimente*: 'con pari velocità'. - *spirono*: 'respirano'.
 4. *piú lasciva gregge*: il corteo delle Oceanine e di altri animali marini piú festosi; l'agg. in tale accezione era già dantesco (*Par.* V 83).
 6. *vanegge*: 'folleggi'; la forma è indotta dalla rima.
 7. *suore fide*: le altre Nereidi, sue fedeli sorelle.
 8. Anche PONTANO, *Lyra* XVI 38-41 «Una / ridet informis Galatea, nigro / pectore, nigris / displicens mammis Galatea».

119   Intorno al bel lavor serpeggia acanto,
di rose e mirti e lieti fior contesto;
con varii augei sí fatti, che il lor canto
pare udir nelli orecchi manifesto:
né d'altro si pregiò Vulcan mai tanto,
né 'l vero stesso ha piú del ver che questo;
e quanto l'arte intra sé non comprende,
la mente imaginando chiaro intende.

120   Questo è 'l loco che tanto a Vener piacque,
a Vener bella, alla madre d'Amore;
qui l'arcier frodolente prima nacque,
che spesso fa cangiar voglia e colore,
quel che soggioga il cel, la terra e l'acque,
che tende alli occhi reti, e prende il core,
dolce in sembianti, in atti acerbo e fello,
giovene, nudo, faretrato augello.

---

119   1. Memorizza forse VIRGILIO, *Buc.* III 45 «et molli circum est ansas amplexus acantho» (Nannucci). - *serpeggia*: i fiori di acanto (cfr. I 79 8) intrecciati con rose e alloro formano una ghirlanda, pur essa intagliata, che orna i bassorilievi (*bel lavor*) snodandosi ondulatamente lungo i loro contorni.

2. *contesto*: cfr. I 47 2 e n.

4. *manifesto*: avverbiale, in rapporto di sinonimia col *chiaro* del v. 8.

6. Cosí Dante dei bassorilievi purgatoriali aveva detto «non vide mei di me chi vide il vero» (XII 68).

7-8. *e quanto... intende*: «quello che l'arte dello scultore non riesce a rappresentare (le parole, i pensieri) lo suggerisce tuttavia chiaramente all'immaginazione di chi contempla» (Sapegno). - *intra sé*: 'in se stessa'. - *chiaro*: avverbiale.

120   1. Cfr. PETRARCA, *Tr. Cupid.* IV 106-7 «Questa è la terra che cotanto piacque / a Venere».

2. Cfr. I 77 2.

4. *fa cangiar voglia e colore*: 'obbliga a mutare intendimento e stato d'animo (rivelato dal colore del volto)' chi è dominato dalla passione.

6. *prende*: 'conquista'.

7. *acerbo e fello*: dittologia pressoché sinonimica, 'spietato e malvagio'.

8. Cfr. MOSCO, *Id.* I 15-19 e la traduz. polizianèa 15-20 «Membra quidem nudus, mentem velatus; avisque / more quatit pinnas... / parva pharetra olli dependent et aurea tergo».

121   Or poi che ad ale tese ivi pervenne,
          forte le scosse, e giú calossi a piombo,
          tutto serrato nelle sacre penne,
          come a suo nido fa lieto colombo:
          l'aier ferzato assai stagion ritenne
          della pennuta striscia il forte rombo:
          ivi racquete le trïunfante ale,
          superbamente inver' la madre sale.

122   Trovolla assisa in letto fuor del lembo,
          pur mo' di Marte sciolta dalle braccia,
          il qual roverso gli giacea nel grembo,
          pascendo gli occhi pur della sua faccia:
          di rose sovra a lor pioveva un nembo
          per rinnovarli all'amorosa traccia;
          ma Vener dava a lui con voglie pronte
          mille baci negli occhi e nella fronte.

121   2. *le scosse*: 'le sbatté'. - *calossi a piombo*: immagine ornitologica per
cui cfr. PULCI, *Giostra* 139 1-3 «Vedestú mai falcon calare a piombo, / e
poi spianarsi, e batter forte l'ale, / c'ha tratto fuor della schiera il colom-
bo?» (in rima con *rombo*).
    3. *tutto... penne*: 'con le ali chiuse'; la variante «sotratto» (celato), atte-
stata da vari codici, non modifica sostanzialmente il significato. - *sacre penne*: clausola dantesca, *Par.* VI 7.
    4. Riecheggia forse la similitudine dantesca di *Inf.* V 82-84.
    5. *aier*: cfr. I 34 1 e n. - *ferzato*: 'sferzato', cfr. I 64 7. - *assai stagion
ritenne*: 'echeggiò per molto tempo'.
    6. *pennuta striscia*: l'ala. - *rombo*: 'rumore', cfr. II 23 3.
    7. *racquete*: 'calmate, fermate'. - *trïunfante ale*: in quanto soggiogano gli
amanti; il sost. replica quello del v. 1, identica clausola a II 16 2.

122   1. *lembo*: sineddoche, 'veste'.
    2. Cfr. STAZIO, *Silvae* I 2 52-53 «Alma Venus thalamo pulsa modo nocte
iacebat, / amplexu duro getici resoluta mariti» (Nannucci). - *pur mo'*: 'appena', cfr. II 11 3.
    3-4. Cfr. LUCREZIO, *De rerum nat.* I 32-37. - *roverso*: «incompleta lati-
nizzazione del normale *rovescio*» (Ghinassi). - *pascendo... faccia*: 'saziando
il desio degli occhi solo con la vista del suo volto'.
    5. Cfr. STAZIO, *Silvae* I 2 19-21 e soprattutto PETRARCA, *RVF* CXXVI
42 e 45.
    6. *rinnovarli... traccia*: 'incitarli a seguire di nuovo il richiamo amoroso',
cfr. I 88 6.
    7. *con voglie pronte*: 'con sollecitudine'.
    8. Cfr. PETRARCA, *RVF* CCXXXVIII 12-13.

123   Sovra e d'intorno i piccioletti Amori
scherzavon nudi or qua or là volando:
e qual con ali di mille colori
giva le sparte rose ventilando,
qual la faretra empiea de' freschi fiori,
poi sovra il letto la venia versando;
qual la cadente nuvola rompea
fermo in su l'ale, e poi giú la scotea:

124   come avea delle penne dato un crollo,
cosí l'erranti rose eron riprese.
Nessun del vaneggiar era satollo:
quando apparve Cupido ad ale tese,
ansando tutto, e di sua madre al collo
gittossi, e pur co' vanni el cor li accese,
allegro in vista, e sí lasso ch'a pena
potea ben, per parlar, riprender lena.

---

123   1. Cfr. STAZIO, *Silvae* I 2 54 «fulcra torosque deae tenerum premit
agmen Amorum» (Nannucci). - *piccioletti Amori*: cfr. *Rusticus* 217 «et Venerem parvi comitantur Amores».
     3-6. Cfr. CLAUDIANO, *Epith. Pall. et Cel.* 116-118 «ut thalami tetigere
fores, tum vere rubentes / desuper invertunt calathos largosque rosarum / im-
bres et violas plenis sparsere pharetris» (Nannucci); la pioggia di fiori è simbolo della fecondazione divina e perciò cade sull'amplesso di Venere e Marte.
- *sparte rose*: la Bessi ha avvicinato a questo il sintagma petrarchesco di *RVF*
CLXXXV 10 «sparso di rose».
     7-8. *la cadente... scotea*: 'interrompeva, restando fermo in volo, la cadu-
ta dei fiori e poi, sbattendo le ali, li lasciava cadere nuovamente'; per *scotea* cfr. I 121 2. - *qual*: conclude l'anafora dei vv. 3 e 5 dipendente forse
da PETRARCA, *RVF* CXXVI 46-52, dove era applicata alle rose.

124   1-2. *come... riprese*: 'non appena scrollava le ali per lasciarle cadere,
subito vi raccoglieva altre rose vaganti'. - *delle penne dato un crollo*: cfr.
DANTE, *Purg.* XXXII 27 «sí che però nulla penna crollonne».
     3. *del vaneggiar era satollo*: 'era sazio di folleggiare'.
     5-6. Cfr. STAZIO, *Silvae* I 2 103-4 «tenera matris cervice pependit / blan-
dus et admotis tepefecit pectora pennis» (Nannucci). - *vanni*: 'ali', cfr. I 6 2.
     7. *in vista*: cfr. I 97 6 e n.
     8. *lena*: 'fiato'.

125 «Onde vien', figlio, o qual n'apporti nuove?»,
       Vener li disse, e lo baciò nel volto:
       «Onde esto tuo sudor? qual fatte hai pruove?
       qual dio, qual uomo hai ne' tuo lacci involto?
       Fai tu di nuovo in Tiro mughiar Giove?
       o Saturno ringhiar per Pelio folto?
       Che che ciò sia, non umil cosa parmi,
       o figlio, o sola mia potenzia et armi».

125 1. *nuove*: notizie degli amanti vinti.
       3. Cfr. CLAUDIANO, *Epith. Hon.* 111 «quae proelia sudas?» (Nannucci). - *sudor*: metonimia, 'fatica'. - *pruove*: 'gare, battaglie'.
       4. Variazione su CLAUDIANO, *Epith. Hon.* 112 «quis iacuit telis?» (Nannucci). - *involto*: 'catturato'.
       5. Cfr. CLAUDIANO, *Epith. Hon.* 112-13 «iterumque Tonantem / inter sidonias cogis mugire iuvencas?» (Nannucci). - *mughiar*: a Tiro Giove si trasformò in toro per rapire Europa, cfr. I 105.
       6. *ringhiar*: detto di cavalli anche in BOCCACCIO, *Teseida* VI 28 3 e VII 97 5; qui, per l'esattezza, di Giove mutatosi in cavallo per amore di Fillira, cfr. I 108 3. - *Pelio*: cfr. I 32 2 e n.
       7. *umil*: 'da poco, di poco impegno'.
       8. Piú che STAZIO, *Silvae* I 2 137-38 P. sembra aver utilizzato VIRGILIO, *Aen.* I 664 «Nate, meae vires, mea magna potentia solus» (Nannucci) e OVIDIO, *Met.* V 365 «Arma manusque meae, mea, nate, potentia» (Nannucci); le armi sono ovviamente l'arco e le frecce di Cupido, per cui anche LORENZO, son. *Felici ville, campi*, 11 diceva di Venere «ch'ancor ella ha suo arco e sua faretra» (*Canz.* IV).

LIBRO SECONDO

1   Eron già tutti alla risposta intenti
e pargoletti intorno all'aureo letto,
quando Cupido con occhi ridenti,
tutto protervo nel lascivo aspetto,
si strinse a Marte, e colli strali ardenti
della faretra gli ripunse il petto,
e colle labra tinte di veleno
baciollo, e 'l fuoco suo gli misse in seno.

2   Poi rispose alla madre: «E' non è vana
la cagion che sí lieto a te mi guida:
ch'i' ho tolto dal coro di Dïana
el primo conduttor, la prima guida,
colui di cui gioir vedi Toscana,
di cui già insino al ciel la fama grida,

---

1   Ricalca l'incipit del II lib. dell'*Eneide* «Conticuere omnes intentique ora tenebant» (Nannucci), e insieme quello del II cap. del *De Summo Bono* laurenziano «Eran gli orecchi a sue parole intesi».
4. *protervo*: 'arrogante', deriva probabilmente da PETRARCA, *Tr. Pud.* 135, ma vedi anche SENECA, *Phaedra* 268 e MOSCO, *Id.* I 12 (nella traduz. di P. «faciesque proterva»).
5. *si strinse*: 'si avvicinò', come in DANTE, *Inf*. IX 51.
6. *ripunse*: 'ferí ancora' per incitarlo all'amore, cfr. I 122 6.
7-8. Cfr. VIRGILIO, *Aen*. I 687-88 «cum dabit amplexus atque oscula dulcia figet, / occultum inspires ignem fallasque veneno» (Nannucci).

2   3. *dal coro di Diana*: 'dallo stuolo dei fedeli a Diana' in quanto dediti alla caccia e schivi nei confronti dell'amore, cfr. infatti I 11 8.
4. *conduttor*: s'intende del *coro* del verso prec., in coppia sinonimica con *guida*.
6. Eco di DANTE, *Purg*. VIII 124-25, ma con formulazione schiettamente quattrocentesca, cfr. PULCI, *Morgante* XVII 29 4 «la fama insino al ciel n'andrà volando».

insino agl'Indi, insino al vecchio Mauro:
Iulio, minor fratel del nostro Lauro.

3   L'antica gloria e 'l celebrato onore
chi non sa della Medica famiglia,
e del gran Cosmo, italico splendore,
di cui la patria sua si chiamò figlia?
E quanto Petro al paterno valore
n'aggiunse pregio, e con qual maraviglia
dal corpo di sua patria rimosse abbia
le scelerate man', la crudel rabbia?

4   Di questo e della nobile Lucrezia
nacquene Iulio, e pria ne nacque Lauro:
Lauro che ancor della bella Lucrezia

7. L'anafora su *insino* si applica ora alle coordinate geografiche, 'da oriente a occidente', secondo quello che a partire da PETRARCA, *RVF* CCLXIX 4 si costituisce come un luogo comune (IACOPO DE' BUONINSEGNI, *Egloghe* III 51; PULCI, *Morgante* XXVIII 151 3; ecc.), sebbene P. faccia riferimento non ai due mari ma agli abitanti dell'India ed alla montagna del Marocco in cui si mutò Atlante (OVIDIO, *Met.* IV 627-62) riecheggiando piuttosto lo stesso PETRARCA, *RVF* CXCVII 5 «nel gran vecchio Mauro», forse richiamato alla memoria da PULCI, *Giostra* 153 2-3 «e scaldava le spalle / del freddo corpo dell'antico Mauro».

8. *del nostro Lauro*: di Lorenzo (cfr. I 4 1 e n.); anche Cupido è in veste di partigiano mediceo.

3   4. Cosimo il Vecchio era stato consacrato ufficialmente quale «pater patriae» il 15 marzo 1465; cfr. *Sylva in scabiem* 297.

5. *Petro*: Piero il Gottoso.

6. *pregio*: 'onore'.

7-8. Allusione alla congiura ordita da Luca Pitti ed altri e sventata da Piero con l'aiuto del giovanissimo Lorenzo nell'agosto del 1466, evento che consolidò il regime mediceo; la replicatio di *patria* dal v. 4 sottolinea la continuità della politica medicea per il bene di Firenze nel trascorrere delle generazioni.

4   1. *Lucrezia*: Tornabuoni, cfr. I 3 7 e n.

3. *Lauro*: l'anadiplosi mette in rilievo la presenza di Lorenzo in questa ottava, fuor di rima anche al v. 7. - *Lucrezia*: Donati, la dama di Lorenzo

arde, e lei dura ancor si mostra a Lauro,
rigida piú che a Roma già Lucrezia,
o in Tessaglia colei che è fatta un lauro;
né mai degnò mostrar di Lauro agli occhi
se non tutta superba e suo begli occhi.

5   Non priego, non lamento al meschin vale,
ch'ella sta fissa come torre al vento,
perch'io lei punsi col piombato strale,
e col dorato lui, di che or mi pento;
ma tanto scoterò, madre, queste ale,
che 'l foco accenderolli al petto drento:
richiede ormai da noi qualche restauro
la lunga fedeltà del franco Lauro;

andata sposa nel 1465 a Niccolò Ardinghelli; l'accenno all'amore di Lorenzo per lei è legato al fatto che alla Donati il Magnifico aveva dedicato la
sua vittoria nella giostra del '69.

4. *arde*: d'amore. - *Lauro*: la rima identica spicca nel contesto fitto di
rime equivoche (ad eccezione del distico finale), memore certo dell'artificio dantesco, *Par.* XII 71-75 ecc., imperniato sul nome di Cristo, sicché
«il colmo dell'adulazione è raggiunto per via retorica» (Contini).

5. *Lucrezia*: la moglie di Collatino rimasta celebre per la sua castità.

6. La perifrasi indica Dafne, trasformatasi in alloro in seguito alle atten-
zioni di Apollo.

7. *mostrar*: assoluto per il rifless.

8. *e suo begli occhi*: accus. di relazione.

5   2. Eco della similitudine dantesca di *Purg.* V 14-15; cfr. pure Virgilio, *Aen.* VI 554 e vedi qui II 37 4.

3. *col piombato strale*: quello col quale Cupido raffredda i petti degli amanti
(Ovidio, *Met.* I 468-71), mentre con quello d'oro li infiamma all'amore.

5. *scoterò*: cfr. I 121 2 e 123 8, qui vale però semplicemente 'agiterò'
(in volo)'.

6. *drento*: cfr. I 2 6 e n.

7. *restauro*: 'ristoro, compenso', deverbale già attestato in Bonagiunta, ball. *Fermamente intenza* 50 «serva e no aspetti ristauro»; e poi in Antonio Cammelli (il Pistoia), son. *Tronca la corda* 15-16 «Del suo bene il
restauro / è ch'el si trovi in sul carro di Apollo», e in Ariosto, canz. *Anima eletta* 137-39 «le cui mediche fronde / spesso a le piaghe d'onde / Italia
morí poi furon restauro».

8. *franco*: 'leale'.

6   ché tutt'or parmi pur veder pel campo,
     armato lui, armato el corridore,
     come un fer drago gir menando vampo,
     abatter questo e quello a gran furore,
     l'armi lucenti sue sparger un lampo
     che tremar faccin l'aier di splendore;
     poi, fatto di virtute a tutti essemplo,
     riportarne il trïonfo al nostro templo.

7   E che lamenti già le Muse ferno,
     e quanto Apollo s'è già meco dolto
     ch'i' tenga il lor poeta in tanto scherno!
     e io con che pietà suo versi ascolto!

6   1. *campo*: su cui fu combattuta la giostra vinta da Lorenzo il 7 febbraio 1469.

2. La reduplicatio di *armato* fa parte del giuoco allitterativo su *r* e anticipa *l'armi* del v. 5; cfr. I 43 1. - *corridore*: cfr. I 8 6, 26 3 e 38 3.

3. *menando vampo*: fuor di metafora 'mostrando il proprio impeto battagliero', cfr. PULCI, *Morgante* XI 33 7-8 e *Giostra* 104 5 «e l'uno e l'altro caval mena vampo».

5. Immagine tratta dall'epica classica, cfr. la traduz. polizianèa dell'*Iliade* IV 498-99; Nannucci ricordava VIRGILIO, *Aen.* VII 527 e IX 733.

6. Cfr. I 103 3 e n., e per la forma epentetica del sost. I 34 1 e n.

7. *fatto*: 'divenuto'.

8. Il verso non allude, come è parso ad altri interpreti, al «premio della giostra, un elmo d'argento», che per ipotesi «sarà stato portato come spoglia votiva al Duomo» (Sapegno); né il *templo* cui si fa riferimento allude per metonimia a Firenze (Orlando) bensí a quello di Venere e di Amore (è questi che parla), come conferma II 10 6. La vittoria nel torneo era difatti duplice iniziazione alla virilità e in quanto ottenuta in un ludo marziale e perché il cavaliere giostrava in nome e ad onore di una dama, emissaria del regno di Venere. Il verbo memorizza probabilmente quello pulciano, *Giostra* 158 5-8 «Perché tu fosti, o mio Lauro, principio / di riportar te stesso in sulla chioma, / di riportar onor, vittoria e insegna / alla casa de' Medici alta e degna».

7   2-3. Cfr. STAZIO, *Silvae* I 2 93-94 «Quotiens mihi quaestus Apollo / sic vatem maerere suum» (Nannucci). - *dolto*: 'lamentato', part. analogico sul tipo di sciolto.

4. *pietà*: 'pena'.

ch'i' l'ho già visto al piú rigido verno,
pien di pruina e crin', le spalle e 'l volto,
dolersi colle stelle e colla luna,
di lei, di noi, di suo crudel fortuna.

8   Per tutto el mondo ha nostre laude sparte,
mai d'altro, mai se non d'amor ragiona;
e potea dir le tue fatiche, o Marte,
le trombe e l'arme, e 'l furor di Bellona;
ma volle sol di noi vergar le carte,
e di quella gentil ch'a dir lo sprona:
ond'io lei farò pia, madre, al suo amante,
ch'i' pur son tuo, non nato d'adamante.

9   I' non son nato di ruvida scorza,
ma di te, madre bella, e son tuo figlio;
né crudele esser deggio, e lui mi sforza

---

5. Ricalca nell'andamento DANTE, *Par.* XIII 133; si ricordi che nella tematica delle liriche giovanili di Lorenzo la metafora iemale sta ad indicare l'assenza dell'amata, son. *Occhi, poi che privati* 5-6 e son. *Poi che tornato è il Sole* 4 «che già il rigido verno è fatto aprico» (*Canz.* V e XXII).

6. *pruina*: cfr. I 25 2 e n.

7. *dolersi*: in rapporto di paronomasia a distanza col *dolto* del v. 2.

8. *di lei*: Lucrezia. - *di noi*: Venere ed Amore. - *suo*: indistinto.

8   1. *sparte*: 'profuse'.

2. *d'amor ragiona*: locuzione d'ascendenza stilnovistica per cui basti ricordare DANTE, son. *Guido i' vorrei* 12.

3-5. Per la scelta della lirica invece che l'epica da parte del fedele di Venere cfr. STAZIO, *Silvae* I 2 95-99. - *Bellona*: dea della guerra, cfr. VIRGILIO, *Aen.* VIII 703.

6. *quella gentil*: nuova perifrasi per indicare Lucrezia Donati. - *dir*: in poesia, replica in identica accezione tecnica la voce del v. 3.

7. *pia*: 'pietosa'. - *al*: 'nei riguardi del'.

8. Come a dire 'non son di pietra', cfr. STAZIO, *Silvae* I 2 69-70 «O genetrix, duro nec enim ex adamante creati, / sed tua turba sumus» (Nannucci), e anche PULCI, *Morgante* IV 87 8.

9   1. Cupido varia la sentenza del finale dell'ottava prec. insistendo sulla propria sensibilità ('non sono di legno'); cfr. ball. *I' conosco el gran disio* 11-12.

3. *mi sforza*: 'mi costringe'.

a riguardarlo con pietoso ciglio.
Assai provato ha l'amorosa forza,
assai giaciuto è sotto 'l nostro artiglio:
giust'è ch'e' faccia ormai co' sospir triegua,
e del suo buon servir premio consegua.

10   Ma 'l bel Iulio ch'a noi stato è ribello,
e sol di Delia ha seguito el trïonfo,
or drieto all'orme del suo buon fratello
vien catenato innanzi al mio trïonfo;
né mosterrò già mai pietate ad ello
finché ne porterà nuovo trïonfo:
ch'i' gli ho nel cor diritta una saetta
dagli occhi della bella Simonetta.

11   E sai quant'è nel petto e nelle braccia,
quanto sopra 'l destriero è poderoso:
pur mo' lo vidi sí feroce in caccia,

4. *ciglio*: cfr. I 38 1 e 43 8, II 13 4 e 38 4.
5. *forza*: 'potenza'.
6. *artiglio*: 'dominio', cfr. PULCI, *Morgante* IV 89 2 «Amor pur preso al-
fin m'ha co' suo artigli».
8. *buon servir*: formula di ascendenza cortese che indica la retta devozione verso l'amata, basti citare l'incipit della canz. attr. a Giacomo da Len-
tini (o Guido delle Colonne?) *Poi no mi val merzè né ben servire* (ed. Contini
in *Poeti del Duecento*, Milano-Napoli, 1960, 64).

10   1. *ribello*: con metaplasmo di declinazione.
2. *Delia*: Diana.
3. *buon*: in opposizione a *ribello*.
4. Cfr. PETRARCA, *Tr. Cupid.* I 160 «ven catenato Giove innanzi al
carro».
5. *mosterrò*: consueta la forma con metatesi nel fiorentino dell'epoca.
- *ad ello*: verso di lui, cfr. I 104 7 e n.
6. *ne porterà nuovo trïonfo*: 'ci porterà nuova vittoria', cfr. II 6 8 e n.
e si noti la rima identica nelle sedi pari dei primi tre distici.
7. *diritta*: 'indirizzata, scagliata'.
8. Cfr. I 40.

11   1-2. Giuliano era in effetti di non comune statura e robustezza.
3. *pur mo'*: 'or è poco', cfr. infatti I 31 5-33 6.

che parea il bosco di lui paventoso;
tutta aspreggiata avea la bella faccia,
tutto adirato, tutto era focoso.
Tal vid'io te là sovra el Termodonte
cavalcar, Marte, e non con esta fronte.

12   Questa è, madre gentil, la mia vittoria;
quinci è 'l mio travagliar, quinci è 'l sudore;
così va sovra al cel la nostra gloria,
el nostro pregio, el nostro antico onore;
così mai scancellata la memoria
fia di te, madre, e del tuo figlio Amore;
così canteran sempre e versi e cetre
li stral', le fiamme, gli archi e le faretre».

13   Fatta ella allor piú gaia nel sembiante,
balenò intorno uno splendor vermiglio,
da fare un sasso divenire amante,
non pur te, Marte; e tale ardea nel ciglio,

---

4. *il bosco*: metonimia per 'la fauna del bosco', cfr. I 30 1-31 4.

5. *aspreggiata*: 'con espressione aggressiva'.

6. *adirato*: verso la preda. - *focoso*: 'appassionato' alla caccia.

7-8. *Tal... fronte*: 'in analogo atteggiamento ti ho visto cavalcare, o Marte, sopra il Termodonte, ma non con un cipiglio parimenti fiero'. - *Termodonte*: fiume della Cappadocia, regione sacra a Marte. - *con esta fronte*: l'espressione fiera di Iulio, non (come intendono Sapegno e poi Orlando) quella di Marte illanguidita dall'amore.

12   2. *quinci è*: 'da ciò deriva'. - *travagliar*: 'penare', 'faticare'. - *sudore*: cfr. I 125 3 e n.

3. *va sovra al*: 'giunge piú in alto del', cfr. II 15 8.

4. *pregio*: 'fama'.

5. *scancellata*: 'obliata'.

7. *cosí*: si noti l'anafora con i vv. 3 e 5. - *canteran*: 'celebreranno'. - *versi e cetre*: 'poesia e musica', cfr. OVIDIO, *Met.* X 205 «te lyra pulsa manu, te carmina nostra sonabunt» (Nannucci).

8. *li stral'... le faretre*: strumenti di Cupido.

13   2. *balenò*: fattitivo, come in DANTE, *Inf.* III 134.

3. *da fare... amante*: 'tale che avrebbe mosso all'amore anche una pietra'.

4. *pur*: 'solo'. - *ciglio*: per la frequente metonimia cfr. I 38 1 e 43 8, II 9 4 e 38 4.

qual suol la bella Aurora fiammeggiante;
poi tutto al petto si ristringe el figlio,
e trattando con man suo chiome bionde,
tutto el vagheggia e lieta li risponde:

14   «Assai, bel figlio, el tuo desir m'agrada,
che nostra gloria ognor piú l'ale spanda;
chi erra torni alla verace strada,
obligo è di servir chi ben comanda.
Pur convien che di nuovo in campo vada
Lauro, e si cinga di nuova ghirlanda:
ché virtú nelli affanni piú s'accende,
come l'oro nel fuoco piú risplende.

15   Ma prima fa mestier che Iulio s'armi,
sí che di nostra fama el mondo adempi;

---

5. *fiammeggiante*: cfr. I 95 2.

7. *trattando con man*: 'accarezzando', cfr. DANTE, *Purg.* XXVIII 68. -
chiome bionde: clausola petrarchesca, *RVF* XXXIV 3, ripresa fra gli altri
da LUIGI PULCI, canz. *Da poi che 'l Lauro* 112 «facciendo a Danne sua le
chiome bionde».

8. *el vagheggia*: 'lo guarda con affetto'.

14 1. *m'agrada*: 'mi piace'.

2. *spanda*: 'estenda', come in DANTE, *Inf.* XXVI 3.

3. *erra*: 'si smarrisce'.

4. *obligo... comanda*: 'bisogna servire chi ordina cose giuste', meno con-
vincente nonostante il parallelismo con il verso prec. la spiegazione di Orlando: «chi sa comandare deve saper obbedire».

5. *in campo*: piú che ad un nuovo torneo con la partecipazione di Lorenzo, sarà «allusione alla guerra di Imola» (Orlando).

6. *ghirlanda*: in segno di vittoria.

7. Cfr. LUCANO III 614 «crevit in adversis virtus» (Carducci).

8. Eco della similitudine di ascendenza veterotestamentaria (*Salmi* LXV
10, *Prov.* XVII 3 e XXVII 21, *Sap.* III 6) diffusissima nella lirica cortese
e sacra (Chiaro Davanzati, Monte Andrea, Iacopone, ecc.) e trasmessa al
Quattrocento piú che da DANTE, *Purg.* XXVI 148, da PETRARCA, *RVF*
CCCLX 5-6 «com'oro che nel foco affina, / mi rappresento carco di dolore», cui nella fattispecie può sovrapporsi OVIDIO, *Trist.* I 5 25 «fulvum spec-
tatur in ignibus aurum» (Nannucci).

15 1. *fa mestier*: 'occorre'.

2. *adempi*: 'riempia', con itacismo.

e tal del forte Achille or canta l'armi
e rinnuova in suo stil gli antichi tempi,
che diverrà testor de' nostri carmi,
cantando pur degli amorosi essempi:
onde la gloria nostra, o bel figliuolo,
vedren sopra le stelle alzarsi a volo.

16   E voi altri, mie figli, al popol tosco
lieti volgete le triönfante ale,
giten tutti fendendo l'äer fosco;
tosto prendete ognun l'arco e lo strale,
di Marte el dolce ardor sen venga vosco.
Or vedrò, figli, qual di voi piú vale:
gite tutti a ferir nel toscan coro
ch'i' serbo a qual fie 'l primo un arco d'oro».

17   Tosto al suo dire ognuno arco e quadrella
riprende, e la faretra al fianco alluoga,
come, al fischiar del comito, sfrenella
la 'gnuda ciurma e remi, e mette in voga.

3. Per l'allusione alla propria traduzione dell'*Iliade* cfr. I 7 5-6.
4. *antichi*: della classicità.
5. *testor*: 'compositore', metafora classica e poi petrarchesca, *RVF* XXVI 10.
6. *essempi*: lat. exempla.
8. Variazione sul concetto espresso a II 12 3; *alzarsi a volo* è clausola petrarchesca, *RVF* CCLXII 14.

16   Il motivo di questa ottava discende da Silio Italico, *Punic.* XI 388-94 (Proto).
2. *triönfante ale*: cfr. I 121 7.
3. *l'aër fosco*: dell'alba (cfr. II 27 1-2), variante della clausola dantesca di *Inf.* XXIII 78 e XXVIII 104.
5. *vosco*: alla latina, in rima in Dante, *Purg.* XI 60 e XVI 141, e *Par.* XXII 115.
7. *coro*: 'stuolo', cfr. I 94 6 e 107 5, II 2 3.
8. *a qual fie*: 'a colui che sarà'.

17   1. *quadrella*: plur. neutro, 'frecce'; cfr. I 40 7.
2. *alluoga*: 'colloca'.
3-4. *comito*: colui che dirige i vogatori, difficile stabilire se P. abbia usato la forma colta o quella popolaresca attestata dai testimoni («gomito»),

Già per l'aier ne va la schiera snella,
già sopra la città calon con foga:
cosí e vapor pel bel seren giú scendono,
che paion stelle mentre l'aier fendono.

18   Vanno spïando gli animi gentili
che son dolce esca all'amoroso foco;
sovr'esse batton forte i lor fucili,
e fanli apprender tutti a poco a poco.
L'ardor di Marte in e cor' giovenili
s'affige, e quelli infiamma del suo gioco;
e mentre stanno involti nel sopore,
pare a' gioven' far guerra per Amore.

19   E come quando il sol li Pesci accende,
tutta la terra è di suo virtú pregna,

---

per cui cfr. Ghinassi 17-18. - *sfrenella... in voga*: 'la ciurma a torso nudo
scioglie i remi dai frenelli che li legano e li cala in acqua per iniziare a rema-
re', cfr. Ghinassi 141-42.

5. *snella*: 'agile'.

7-8. L'immagine delle meteore (*vapor*) cadenti dipende da DANTE, *Purg.*
V 37-38. - *l'aier fendono*: cfr. I 95 1; il sost. replica quello del v. 5 con identica forma epentetica (per cui vedi I 34 1 e n.)

18   1. *gentili*: 'nobili', termine tecnico dell'ideologia stilnovistica.

2. *dolce esca*: 'facile vittima', propriamente l'esca era la materia secca
che, posta sulla pietra focaia, veniva infiammata al contatto con le scintille
provocate dall'acciarino.

3. *fucili*: 'acciarini', con cui si batteva sulla pietra focaia per accendere
il fuoco.

4. *apprender*: 'accendere', cfr. GUINIZZELLI, canz. *Al cor gentil* 11 e DAN-
TE, *Inf.* V 100.

5. *in e*: 'nei'.

6. *s'affige*: latinismo, 'si fissa'. - *del*: introduce l'oggetto della passione.

7. Cfr. SILIO ITALICO, *Punic.* XI 395-96 «Mollitae flammis lymphae lan-
guentia somno / membra fovent, miserisque bonis perit horrida virtus» (Proto). - *involti*: 'sprofondati'.

8. *per Amore*: invece li muove Marte, come è detto ai vv. 5-6.

19   1. *quando... accende*: 'verso la fine dell'inverno', perifrasi di gusto dantesco, *Purg.* XXXII 52-60 e *Inf.* XI 113.

2. *suo*: del sole.

che poscia a primavera fuor si estende,
mostrando al cel verde e fiorita insegna;
cosí ne' petti ove lor foco scende
s'abbarbica un disio che drento regna,
un disio sol d'eterna gloria e fama,
che le 'nfiammate menti a virtú chiama.

20 Esce sbandita la Viltà d'ogni alma,
    e, benché tarda sia, Pigrizia fugge;
    a Libertate l'una e l'altra palma
    legon gli Amori, e quella irata rugge.
    Solo in disio di gloriosa palma
    ogni cor giovenil s'accende e strugge;
    e dentro al petto sorpriso dal sonno
    li spirite' d'amor posar non ponno.

21 E cosí mentre ognun dormendo langue,
    ne' lacci è 'nvolto onde già mai non esce;

---

3. *poscia*: rispetto all'ingresso del sole nella costellazione dei Pesci (v. 1). - *fuor si estende*: 'trasuda', sogg. *virtú* del verso prec.
   4. *verde e fiorita insegna*: gli effetti della primavera, per il sintagma cfr. PETRARCA, *RVF* CCCXXV 32.
   6. *s'abbarbica*: 'mette radici', con passaggio dalla metafora ignea a quella arborea. - *regna*: 'alligna'.

20 1. *sbandita*: 'cacciata'.
    3. *l'una e l'altra palma*: emistichio dantesco, *Par.* IX 123; per *palma* nel senso di mano cfr. I 76 5.
    4. *rugge*: 'ruggisce'.
    5. *palma*: rima equivoca, simbolo della vittoria come a I 104 2.
    6. *s'accende e strugge*: 's'incendia e si consuma', dittologia in clausola anche in PETRARCA, *RVF* CCII 2.
    7. Cfr. II 18 7. - *sorpriso*: piú che come dantismo, in senso di 'offuscato', «utilizzato originariamente da P.» (Ghinassi), intenderei come 'sopraffatto', nell'accezione ad es. di GUINIZZELLI, canz. *Madonna, il fino amor* 19 «che son di tale amor sorpriso».
    8. *spirite'*: cfr. il v. 6 dell'ottava seguente e n. - *posar*: non «aver quiete» (Sapegno) ma 'fermarsi', poiché «gli spiriti dell'amore non possono posarsi in un cuore prigioniero dell'inerzia» (Orlando).

21 2. *'nvolto*: 'legato, imprigionato'.

ma come suol fra l'erba el picciol angue
tacito errare, o sotto l'onde el pesce,
sí van correndo per l'ossa e pel sangue
gli ardenti spiritelli, e 'l foco cresce.
Ma Vener, com'e suo alati corrieri
vide partiti, mosse altri pensieri.

22   Pasitea fe' chiamar, del Sonno sposa,
Pasitea, delle Grazie una sorella,
Pasitea che dell'altre è piú amorosa,
quella che sovra a tutte è la piú bella;
e disse: «Muovi, o ninfa grazïosa,
truova el consorte tuo, veloce e snella:
fa' che e' mostri al bel Iulio tale imago,
che 'l facci di mostrarsi al campo vago».

23   Cosí le disse; e già la ninfa accorta
correa sospesa per l'aier serena;

3-4. *ma come... errare*: cfr. I 15 3 e n.
5-6. Cfr. *Sylva in scabiem* 81-83 e 203-4. - *spiritelli*: termine cavalcantia-
no e dantesco per i pensieri amorosi che nascono dalla contemplazione nel-
l'immaginazione dell'amata.
7. *corrieri*: 'emissari'.
8. *mosse*: incoativo. - *pensieri*: 'progetti'.

22 1. *del Sonno sposa*: Pasitea (si noti l'anafora dei primi tre versi) era
una delle Grazie, amata dal Sonno che non poteva averla (secondo l'interpretazione del mito data in *Commento alle «Selve» di Stazio* 204) perché
la gratitudine non può soggiacere all'oblio; cfr. I 92 6.
5-6. L'invocazione ricorda quella rivolta da Giunone a Iride perché chie-
desse al Sonno di rivelare in sogno ad Alcione la morte dell'amato Ceice
(OVIDIO, *Met.* XI 585-88), ma un precoce lettore e traduttore d'Omero come P. potrebbe avervi adombrato pure la memoria di un'altra supplica, diretta al Sonno dalla medesima Giunone (*Iliad.* XIV 233 sgg.), affinché recasse
manforte ai Danai addormentando Zeus, che era loro contrario, e li spin-
gesse ad una sortita dalle navi. - *snella*: 'svelta, agile', cfr. *Orfeo* 73.
7-8. Cfr. OVIDIO, *Met.* XI 587-88 «extinctique iube Ceycis imagine mit-
tat / somnia ad Alcyonem veros narrantia casus» (Carducci). - *vago*: 'desideroso'.

23 2. *sospesa*: in volo. - *aier serena*: parrebbe una zeppa dal momento che
la scena si svolge in un cielo fosco (cfr. II 16 3 e 27 2); per il sost. cfr.
I 34 1 e n.

quete sanza alcun rombo l'ale porta,
e lo ritruova in men che non balena.
Al carro della Notte el facea scorta,
e l'aria intorno avea di Sogni piena
di varie forme e stranier portamenti,
e facea racquetar li fiumi e i venti.

24   Come la ninfa a' suoi gravi occhi apparve,
        col folgorar d'un riso gliele aperse:
        ogni nube dal ciglio via disparve,
        che la forza del raggio non sofferse.
        Ciascun de' Sogni drento alle lor larve
        gli si fe' incontro, e 'l viso discoverse;
        ma lei, poi che Morfeo tra li altri scelse,
        gli chiese al Sonno, e tosto indi si svelse.

3. *rombo*: cfr. I 121 6; P. trasferisce a Pasitea quanto del Sonno aveva detto OVIDIO, *Met*. XI 650-51 «Ille volat nullos strepitus facientibus alis / per tenebras» (Carducci), già utilizzato a proposito del Sonno stesso nella versione omerica II 20-21.

4. *ritruova*: 'raggiunge', cfr. il v. 6 dell'ottava prec. - *in men che non balena*: emistichio dantesco, *Inf*. XXII 24.

5-7. Cfr. TIBULLO II 1 87-88 «iam Nox iungit equos currumque sequuntur / matris lascivo sidera fulva coro», e LORENZO, *Ambra* 5 1-5 «Seguon questo nocturno carro ardente /... el Somno... e' dolci Sogni...» - *varie forme*: cfr. I 60 8 e n. - *portamenti*: 'atteggiamenti'.

8. Cfr. I 43 8 e n.

24   1-2. Riecheggia OVIDIO, *Met*. XI 616-19 «virgo / Somnia dimovit, vestis fulgore reluxit / sacra domus, tardaque deus gravitate iacentes / vix oculos tollens». - *folgorar*: cfr. I 50 2 e n.

3. *disparve*: rima derivativa.

4. *che*: riferito a *nube* del verso prec. - *sofferse*: 'sopportò'.

5-6. È qui formulato compiutamente il simbolismo relativo alle maschere come attributo specifico del Sogno per cui P. avrà utilizzato gli accenni di OVIDIO, *Met*. XI 635-36 («Non illo quisquam sollertius alter / exprimit incessus vultumque sonumque loquendi») e di STAZIO, *Theb*. X 112 («innumero ... vultu»); vedi in proposito F. GANDOLFO, *Il dolce tempo*, Roma, 1978, 118. - *lor larve*: 'loro travestimenti', come in DANTE, *Purg*. XV 127 e in altri quattrocentisti (PULCI, canz. *Da poi che 'l Lauro* 68 e *Giostra* 17 8); si noti l'accordo ad sensum col sogg. logico *Sogni*. - *gli*: femm.

7-8. Cfr. OVIDIO, *Met*. XI 646-48 «e fratribus unum / Morphea, qui peragat Thaumantidos edita, Somnus / eligit» (Carducci), che P. impiega li-

   25   Indi si svelse, e di quanto convenne
            tosto ammonilli, e partí sanza posa;
            a pena tanto el ciglio alto sostenne,
            che fatta era già tutta sonnacchiosa;
            vassen volando sanza muover penne,
            e ritorna a sua dea, lieta e gioiosa.
            Gli scelti Sogni ad ubidir s'affrettono,
            e sotto nuove fogge si rassettono:

   26   quali i soldati che di fuor s'attendono,
            quando sanza sospetto e arme giacciono,
            per suon di tromba al guerreggiar s'accendono,

beramente giacché *tra* va inteso come 'insieme a' oppure, come leggono contro la sola ed. princeps tutti i mss., «con»: secondo che dimostra il plur. *gli* ripreso ai vv. 2 e 7-8 dell'ottava successiva. - *indi si svelse*: modifica la clausola petrarchesca, *RVF* XVII 14 «indi si svelle».

25   1. *Indi si svelse*: si noti il collegamento con la stanza prec. sul tipo delle capfinidas.
         2. *ammonilli*: 'li informò'. - *partí*: traduce «effugit» di OVIDIO, *Met.* XI 632. - *sanza posa*: 'immediatamente'.
         3. *el ciglio alto sostenne*: 'tenne gli occhi aperti'.
         4. Cfr. OVIDIO, *Met.* XI 629-31 «Postquam mandata peregit, / Iris abit neque enim ulterius tolerare soporis / vim poterat, labique ut somnum sensit in artus» (Carducci) e LUCA PULCI, *Driadeo* II 106 1-3 «Iride, fatto il suo comandamento, / si dipartí ché non poté piú stare, / però che 'l sonno l'aggravava drento».
         5. *sanza muover penne*: 'senza muover le ali', come la colomba di VIRGILIO, *Aen.* V 217 («neque commovet alas») o come Paolo e Francesca, *Inf.* V 83-84 «con l'ali alzate e ferme al dolce nido / vengon per l'aere».
         6. *e ritorna*: traduce l'ovidiano «et remeat» *Met.* XI 632. - *sua dea*: Venere, che le aveva impartito l'ordine.
         8. *fogge*: le *forme* di II 23 7. - *si rassettono*: 'si racconciano'.

26   1. *di fuor s'attendono*: 'si accampano'; il verbo è 'attendarsi', con la consueta desinenza fiorentina in *-ono*.
         2. *giacciono*: 'dormono'.
         3-7. Cfr. VIRGILIO, *Aen.* VII 638-40 «Hic galeam tectis trepidus rapit, ille frementis / ad iuga cogit equos clipeumque auroque trilicem / loricam induitur fidoque accingitur ense» (Nannucci), e per quest'ultima immagine vedi anche VIII 459 «tum lateri atque humeris Tegeaeum subligat ensem» riutilizzato nella versione del II dell'*Iliade* v. 53. E cfr. I 35 2. - *per*: causale. - *al guerreggiar s'accendono*: esprime lo slancio dei soldati che, svegliati

vestonsi le corazze e gli elmi allaccíono,
e giú dal fianco le spade sospendono,
grappon le lance e' forti scudi imbracciono;
e cosí divisati i destrier pungono,
tanto ch'alla nimica schiera giungono.

27   Tempo era quando l'alba s'avicina,
       e divien fosca l'aria ove era bruna;
       e già 'l carro stellato Icaro inchina,
       e par nel volto scolorir la luna:
       quando ciò ch'al bel Iulio el cel destina
       mostrono i Sogni, e sua dolce fortuna;
       dolce all'entrar, all'uscir troppo amara,
       però che sempre dolce al mondo è rara.

improvvisamente, si apprestano subito alla difesa. - *sospendono*: 'appendo-
no'. - *grappon*: 'afferrano'. - *cosí divisati*: 'in tale assetto'. - *pungono*: 'spro-
nano', come in PULCI, *Morgante* III 7 7. Si noti l'assonanza tra le rime
sdrucciole, a partire dal distico conclusivo dell'ottava precedente.

27   1. È l'ora canonica dei sogni divinatori come in DANTE, *Inf.* XXVI
7 e *Purg.* IX 13-18; l'attacco ricalca un modulo virgiliano (*Aen.* II 268 ecc.)
e ovidiano (vedi in n. al v. 3) già rinverdito da DANTE stesso, *Inf.* I 37.
       2. *fosca*: nell'accezione originaria di 'rossastra', per effetto dell'aurora;
mentre *bruna* vale 'scura, buia'.
       3. *'l carro... inchina*: 'Icaro guida al di là dell'orizzonte la costellazione
del carro (Orsa magg.)', con impiego di un sintagma petrarchesco, *RVF*
CLXIV 3 «notte il carro stellato in giro mena», e richeggiamento di OVI-
DIO, *Met.* X 446-47 «Tempus erat quo cuncta silent interque triones / fle-
xerat obliquo temone plaustra Bootes» (Orlando).
       4. *scolorir*: 'oscurare', come in PETRARCA, *RVF* III 1.
       6. *fortuna*: 'sorte'.
       7. Si rilevi il chiasmo volto a denotare il ribaltamento tra il piacevole
esordio della vicenda amorosa di Iulio e la sua dolorosa conclusione; per
l'opposizione fra dolce e amaro cfr. I 2 2 e n.
       8. Per il concetto, diffuso, ed il tono viene in mente PULCI: «tutte le
nostre cose sono cosí fatte: uno zibaldone mescolato di dolcie et amaro et
mille sapori varij» (*Morgante e lettere*, ed. De Robertis, Firenze, 1962, 969;
lett. del 27 marzo 1471). - *sempre*: 'per sempre'. - *dolce*: conclude la replicatio dei vv. 6 e 7. - *rara*: riferito, come *amara* al v. prec., a *fortuna* del v. 6.

28   Pargli veder feroce la sua donna,
        tutta nel volto rigida e proterva,
        legar Cupído alla verde colonna
        della felice pianta di Minerva,
        armata sopra alla candida gonna,
        che 'l casto petto col Gorgon conserva;
        e par che tutte gli spennecchi l'ali,
        e che rompa al meschin l'arco e li strali.

29   Ahimè, quanto era mutato da quello
        Amor che mo' tornò tutto gioioso!
        Non era sovra l'ale altero e snello,
        non del trïonfo suo punto orgoglioso:

---

28   La visione è pressappoco quella dell'immagine che Giuliano recava
nello stendardo il giorno della giostra, cfr. n. a II 46 8.

1-2. Ricorda l'aspetto della Lalage oraziana, *Od.* II 5 15-16 «iam proterva / fronte petet Lalage maritum», e di Beatrice, *Purg.* XXX 70 «regalmente nell'atto ancor proterva»; per la dittologia in clausola cfr. lo stesso
DANTE, *Par.* XIII 134 e BOCCACCIO, *Teseida* I 3 2.

3-6. Variante della scena petrarchesca di *Tr. Pud.* 118-25 (pure con le
parole-rima *donna, gonna, colonna*), incrociata con *RVF* CXXVI 4-6. - *felice pianta di Minerva*: 'il fausto olivo' sacro a Pallade, cfr. VIRGILIO, *Aen.*
VI 230. - *gonna*: 'veste', cfr. I 114 2 e II 32 8. - *che 'l casto... conserva*:
la tendenza seguita dalla maggior parte dei commentatori è rappresentata
dalle parole di Sapegno: «Quest'ultima, con lo scudo ornato dalla testa di
Medusa, difende il casto petto di lei», ma P. si allontana qui dalla reale
insegna di Giuliano (vedi n. a II 46 8) per rifarsi direttamente al mito classico della testa di Medusa che «fu, una volta recisa da Perseo, donata ad
Atena e fissata sul suo petto» (Contini). Occorrerà intendere allora che la
candida veste 'preserva intatto il petto casto con l'immagine della testa della
Gorgone che vi è impressa', secondo il racconto di OVIDIO, *Met.* IV 802-4
e VIRGILIO, *Aen.* VIII 438; per il genere maschile di *Gorgon* cfr. DANTE,
Inf. IX 56 e PULCI, *Giostra* 55 8.

7-8. Cfr. ancora PETRARCA, *Tr. Pud.* 133-35 e PULCI, *Giostra* 37 7-8 dove i Pitti recano uno stendardo con l'immagine di Cupido mesto «perch'u-
na damigella gli avea avinte / le braccia e l'ale spennecchiate e stinte». -
spennecchi: 'faccia perdere e sciupi le penne delle ali'.

---

29   1-2. Facile eco virgiliana, *Aen.* II 274-76 «Ei mihi qualis erat, quan-
tum mutatus ab illo / Hectore, qui redit exuvias indutus Achilli» (Nannucci). - *mo'*: 'poco fa', allude a I 121.

3. *snello*: 'agile'.

4. *trïonfo*: su Iulio. - *punto*: 'nient'affatto'.

anzi merzé chiamava el meschinello
miseramente, e con volto pietoso
gridando a Iulio: «Miserere mei,
difendimi, o bel Iulio, da costei».

30   E Iulio a lui dentro al fallace sonno
      parea risponder con mente confusa:
      «Come poss'io ciò far, dolce mio donno,
      ché nell'armi di Palla è tutta chiusa?
      Vedi i mie spirti che soffrir non ponno
      la terribil sembianza di Medusa,
      e 'l rabbioso fischiar delle ceraste,
      e 'l volto e l'elmo e 'l folgorar dell'aste».

31   «Alza gli occhi, alza, Iulio, a quella fiamma
      che come un sol col suo splendor t'adombra:
      quivi è colei che l'alte mente infiamma,

6. *pietoso*: 'che ispirava pietà'.
7. *Miserere mei*: diffusa implorazione, sull'esempio di DANTE, *Inf.* I 65 e PETRARCA, *RVF* LXII 12 e CCCLXVI 120.

30   1. *fallace sonno*: la stessa junctura nella versione del II lib. dell'*Iliade* v. 7 «fallacem mittere Somnum» e in *Epigr. lat.* CIX 1 «Oh mihi quanta datis fallaces gaudia somni!»
      2. *mente confusa*: abbinamento usuale, PULCI, canz. *Da poi che 'l Lauro* 134, GIROLAMO BENIVIENI, *Egloghe* III 181; ecc. Vedi anche qui II 42 5.
      3. *donno*: 'signore'.
      4. Cfr. II 42 1-2.
      5. *soffrir*: 'sostenere con lo sguardo'. - *ponno*: in rima con *sonno* anche in *Orfeo* 327-29.
      6. *sembianza*: 'immagine', è la testa di Medusa di cui a II 28 6; secondo il mito nessuno poteva sostenerne la vista senza impietrire.
      7. *ceraste*: qui generico per 'serpenti'; attribuite al Gorgone di Minerva anche da STAZIO, *Theb.* VIII 763.
      8. *aste*: 'lancia', cfr. R.M. RUGGIERI in «Lingua Nostra», XX (1959), 8-14; frequente nel fiorentino dell'epoca.

31   1. *fiamma*: della gloria.
      2. *t'adombra*: 't'abbaglia'.
      3. *alte mente*: cfr. I 3 6. - *infiamma*: rima derivativa, 'eccita'.

e che de' petti ogni viltà disgombra.
Con essa, a guisa di semplice damma,
prenderai questa ch'or nel cor t'ingombra
tanta paura, e t'invilisce l'alma;
ché sol ti serba lei trïonfal palma».

32   Cosí dicea Cupido, e già la Gloria
scendea giú folgorando ardente vampo:
con essa Poesia, con essa Istoria
volavon tutte accese del suo lampo.
Costei parea ch'ad acquistar vittoria
rapissi Iulio orribilmente in campo,
e che l'arme di Palla alla sua donna
spogliassi, e lei lasciassi in bianca gonna.

33   Poi Iulio di suo spoglie armava tutto,
e tutto fiammeggiar lo facea d'auro;
quando era al fin del guerreggiar condutto,
al capo gl'intrecciava oliva e lauro.
Ivi tornar parea suo gioia in lutto:
vedeasi tolto il suo dolce tesauro,

---

4. *disgombra*: cfr. I 115 5, per opposizione rinvia a DANTE, *Inf.* II 45-47 «l'anima tua è da viltate offesa; / la qual molte fiate l'omo ingombra / sí che d'onrata impresa lo rivolve».

5. *damma*: 'daino', in rima con *fiamma* e *infiamma* già in PETRARCA, *RVF* CCLXX 17-20.

6. *t'ingombra*: 't'infonde'.

7. *t'invilisce l'alma*: 'ti getta nello sconforto'.

8. *lei*: la Gloria.

32 2. Cfr. DANTE, *Par.* VI 70.

4. Cfr. II 46 4.

5. *ad*: finale.

6. *orribilmente*: 'con impeto straordinario' e quindi 'spaventoso'.

8. *spogliassi*: 'togliesse'. - *bianca gonna*: cfr. II 28 5 e n.

33 1. *spoglie*: termine tecnico del latino per indicare le armi tolte al nemico.

4. *oliva e lauro*: per la vittoria sotto l'insegna di Minerva.

5-8. premonizione della morte di Simonetta (26 aprile 1476). - *tornar*:

vedea suo ninfa in trista nube avolta,
dagli occhi crudelmente esserli tolta.

34   L'aier tutta parea divenir bruna,
      e tremar tutto dello abisso il fondo;
      parea sanguigno el cel farsi e la luna,
      e cader giú le stelle nel profondo.
      Poi vede lieta in forma di Fortuna
      surger suo ninfa e rabbellirsi il mondo,
      e prender lei di sua vita governo,
      e lui con seco far per fama eterno.

35   Sotto cotali ambagi al giovinetto
      fu mostro de' suo fati il leggier corso:
      troppo felice, se nel suo diletto
      non mettea morte acerba il crudel morso.

'mutarsi'. - *suo*: possessivo indistinto. - *tolto... tesauro*: cfr. I 105 3 e PE-
TRARCA, *RVF* CCLXIX 5 «tolto m'hai, Morte, il mio doppio tesauro». - *in trista nube avolta*: immagine virgiliana (*Aen.* VI 866) ripresa da PETRAR-
CA, *RVF* CCCXXIII 67-68 «ma le parti supreme / eran avolte d'una neb-
bia oscura».

34 1-4. La sequenza dei segni premonitori ricorda quelli evangelici per
la morte di Cristo (MATH. XXVII 45-52, LUC. XXIII 44-45) e ancor piú
da vicino quelli dei novissimi in *Apoc.* VI 12-13, la cui serie venne ampliata entro il filone poetico volgare sul tema dei quindici segni che devono
annunziare il giudizio universale, per cui cfr. Carrai, *Le muse dei Pulci* 113-72;
l'attacco sembra avvalersi peraltro di ricordi danteschi incrociando *Vita N.*
XXIII «pareami vedere lo sole oscurare» e *Inf.* II 1. - *aier*: cfr. I 34 1 e
n. - *cader... nel profondo*: 'cadere nel punto piú basso', come in una lauda
trecentesca sul giudizio universale in cui si profetizza che le montagne «tucte
caderando nel profondo» (cfr. Carrai, *Le muse dei Pulci* 158); Orlando intende invece «negli abissi celesti».
        6. *surger*: 'risorgere'. - *rabbellirsi*: dopo gli orrori dei vv. 1-4.

35 1. *ambagi*: 'segni oscuri', cfr. DANTE, *Par.* XVII 31.
        2. *mostro*: part. forte, 'mostrato'. - *leggier*: 'mutevole'.
        4. *morte... morso*: giuoco di parole esemplato su DANTE, *Purg.* VII 32;
cfr. anche PETRARCA, *RVF* CXX 5-7 ecc.

Ma che puote a Fortuna esser disdetto,
ch'a nostre cose allenta e stringe il morso?
Né val perch'altri la lusinghi o morda,
ch'a suo modo ne guida e sta pur sorda.

36   Adunque il tanto lamentar che giova?
      A che di pianto pur bagnar le gote,
      se pur convien che lei ne guidi e muova?
      se mortal forza contro a lei non puote?
      se con sue penne il nostro mondo cova,
      e tempra e volge, come vuol, le rote?
      Beato qual da lei suo pensier solve,
      e tutto drento alla virtú s'involve!

37   O felice colui che lei non cura
      e che a' suoi gravi assalti non si arrende,
      ma come scoglio che incontro al mar dura,
      o torre che da Borea si difende,

---

5. *disdetto*: 'impedito', si ricordi DANTE, *Inf.* VII 85 «Vostro saver non ha contasto a lei».

6. *morso*: rima equivoca, 'freno'. Per l'immagine vedi I 1 2 e n.

7. *morda*: 'biasimi', riprende la paronomasia del v. 4.

8. *a suo modo*: 'secondo il suo volere'. - *ne*: 'ci'. - *e sta pur sorda*: cfr. DANTE, *Inf.* VII 94 dove della Fortuna si dice appunto «ma ella s'è beata e ciò non ode».

36   1. Cfr. DANTE, *Inf.* IX 97 «Che giova ne le fata dar di cozzo?», ma soprattutto, PETRARCA *Tr. Mor.* I 88 «O ciechi, el tanto affaticar che giova?», incrociato con *RVF* CXXXII 6 «il lamentar che vale?».

2. *bagnar le gote*: 'piangere', cfr. DANTE, *Purg.* XIII 84 «che bagnavan le gote».

3. *convien*: 'è inevitabile'.

4. Variante del concetto petrarchesco di *RVF* CCLXX 79. - *non puote*: 'non ha alcun valore'.

5. *penne*: 'ali'. - *cova*: 'governa', come in DANTE, *Inf.* XXVII 41.

6. *tempra*: 'ordina'. - *le rote*: della Fortuna.

7-8. Eco di ORAZIO, *Od.* III 29 53-55 «si celeris quatit / pinnas, resigno quae dedit et mea / virtute me involvo» (Carducci), sullo sfondo della fervente trattatistica quattrocentesca circa la dialettica tra Virtú e Fortuna.

37   3-4. Immagine virgiliana, *Aen.* VII 586 sgg. e X 693 sgg.; anche qui II 5 2. - *Borea*: generico per 'vento'.

suo colpi aspetta con fronte sicura,
e sta sempre provisto a sua vicende!
Da sé sol pende, e 'n se stesso si fida,
né guidato è dal caso, anzi lui guida.

38 Già carreggiando il giorno Aurora lieta
di Pegaso stringea l'ardente briglia;
surgea del Gange el bel solar pianeta,
raggiando intorno coll'aurate ciglia;
già tutto parea d'oro il monte Oeta,
fuggita di Latona era la figlia;
surgevon rugiadosi in loro stelo
li fior' chinati dal notturno gelo.

5. *sicura*: 'priva di timore'.
6. *provisto a sua vicende*: 'preparato ai suoi continui mutamenti'.
7. *pende*: 'dipende', cfr. PETRARCA, *Tr. Mor*. I 53.
8. È la teoria umanistica della Virtú che s'impone sulla Fortuna e non
contrasta affatto, come è parso ad alcuni, con quanto detto nelle due stanze precedenti dato che, se l'uomo comune è in balia della sorte, il prudente
e virtuoso riesce a sottrarsi ad essa ed a governarsi saviamente.

38 1-2. Ricorda VIRGILIO, *Aen*. VI 535-36 «roseis Aurora quadrigis /
iam medium aetherio cursu traiecerat axem» e VII 25-26 «Iamque... et aethere
ab alto / Aurora in roseis fulgebat lutea bigis». - *carreggiando*: piú che con
valore di 'conducendo con sé' il dantismo (*Purg*. IV 72) sembra impiegato
nella sua accezione primaria di 'percorrendo', intendendo di conseguenza
giorno nel senso di 'spazio diurno'. - *Pegaso*: il cavallo alato donato da Giove all'Aurora. - *ardente*: 'infuocata'.
3. *Gange*: genericamente 'oriente', cfr. DANTE, *Purg*. II 5 e *Par*. XI 51.
4. *raggiando*: 'splendendo', cfr. I 94 1. - *aurate*: 'dorate', cfr. I 92 3.
5. Cfr. LORENZO, *Uccellagione di starne* I 2 «E le cime de' monti parean d'oro»; vedi anche *Commento alle «Selve» di Stazio* pp. 546-48. - *Oeta*:
in Tessaglia; che «*Deta* derivi nei manoscritti da cattiva lettura di Oeta»
(Pernicone) è congettura inaugurata da Carducci contro la lezione sostenu-
ta ancora da Sapegno e da Contini, per il quale sarebbe «inaccettabile la
correzione Pernicone *monte Oeta*, essendo il latino *Oeta* bisillabo, con *oe*
dittongo»: ma in verità l'emendamento carducciano non scardina affatto
il ritmo, se si postula sinalefe tra *monte* e *Oeta*.
6. *di Latona... la figlia*: la Luna, con perifrasi dantesca, *Par*. X 67.
7-8. Eco dantesca, *Inf*. II 127-29 «Quali i fioretti dal notturno gelo /
chinati e chiusi, poi che 'l sol li 'mbianca, / si drizzan tutti aperti in loro stelo»; già ripresa da BOCCACCIO, *Filostrato* II 80 1-3 e *Teseida* IX 28 1-3.

39 La rondinella sovra al nido allegra,
cantando salutava il nuovo giorno;
e già de' Sogni la compagna negra
a sua spilonca avean fatto ritorno:
quando con mente insieme lieta e egra
si destò Giulio e girò gli occhi intorno:
gli occhi intorno girò tutto stupendo,
d'amore e d'un disio di gloria ardendo.

40 Pargli vedersi tuttavia davanti
la Gloria armata in su l'ale veloce
chiamare a giostra e valorosi amanti,
e gridar «Iulio Iulio» ad alta voce;
già sentir pargli le trombe sonanti,
già divien tutto nell'arme feroce.
Cosí tutto focoso in pie' risorge,
e verso il cel cota' parole porge:

41 «O sacrosanta dea, figlia di Giove,
per cui il tempio di Ian s'apre e riserra,

---

39   1-2. Per la rondinella vedi I 25 3-4.
3. *negra*: cfr. I 60 8 e n.
4. *a sua spilonca*: benché Pasitea li avesse incontrati al seguito del carro
notturno (II 23 6-7) i sogni fanno ritorno alla grotta ove abitano secondo
il racconto di OVIDIO, *Met.* XI 591 sgg. - *avean*: si noti l'accordo ad sensum col sogg. *compagna* del verso prec.
5. *egra*: 'angosciata'.
6-7. *girò... girò*: anadiplosi speculare. - *stupendo*: 'pieno di stupore'.

40   1. *tuttavia*: 'ancora'.
4. *Iulio Iulio*: cfr. I 62 8 e 63 5.
6. *feroce*: cfr. II 28 1 e n.
7. *focoso*: 'ardente di provarsi in combattimento'. - *in pie' risorge*: 'si alza da letto'.
8. *porge*: in accezione dantesca, *Inf.* II 135 e VIII 112.

41   1. Si ricordi DANTE, *Purg.* XXIX 37 «O sacrosante vergini». - *figlia
di Giove*: Minerva nacque difatti dalla testa di Giove.
2. *per*: strumentale. - *il tempio... riserra*: 'si aprono e si chiudono le porte
del tempio di Giano', che a Roma accadeva rispettivamente in tempo di
guerra e di pace.

la cui potente destra serba e muove
intero arbitrio di pace e di guerra;
vergine santa, che mirabil pruove
mostri del tuo gran nume in cielo e 'n terra,
che i valorosi cuori a virtú infiammi,
soccorrimi or, Tritonia, e virtú dammi.

42   S'io vidi drento alle tue armi chiusa
la sembianza di lei che me a me fura;
s'io vidi il volto orribil di Medusa
far lei contro ad Amor troppo esser dura;
se poi mie mente dal tremor confusa
sotto il tuo schermo diventò secura;
s'Amor con teco a grande opra mi chiama,
mostrami il porto, o dea, d'eterna fama.

43   E tu che drento alla 'nfocata nube
degnasti tua sembianza dimostrarmi,
e ch'ogni altro pensier dal cor mi rube,

3-4. Cfr. VIRGILIO, *Aen.* XI 483 «armipotens praeses belli Tritonia virgo» (Nannucci). - *serba e muove*: 'mantiene a sé e mette in opera'.

5. *vergine santa*: superfluo sottolineare l'estrazione mariana del sintagma. - *mirabil pruove*: sintagma fisso, frequente nel fiorentino quattrocentesco: FILIPPO LAPACCINI, *Armeggeria* V 98; PULCI, *Giostra* 26 2; ecc.

6. *del tuo gran nume*: 'della tua grande potenza divina'.

7. *che i valorosi... infiammi*: Minerva è la dea della sapienza, ma qui si tratta piuttosto della virtú militare che essa infondeva nell'animo dei prodi.

8. *Tritonia*: altro nome, già virgiliano e ovidiano, di Minerva, dal fiume Tritone a lei sacro; ricorre piú volte nella versione polizianèa dell'*Iliade*. Cfr. PULCI, *Morgante* XXV 213 2-3.

42   1-2. Cfr. II 30 3-4. - *me a me fura*: cfr. in n. a I 13 2.
3-4. Cfr. II 28 5-6.
5. Cfr. II 30 2 e n. - *mie*: possessivo indistinto. - *tremor*: 'paura'.
6. *schermo*: 'protezione'. - *secura*: cfr. II 37 5 e n.
7. *con teco*: non «con il tuo aiuto» (Sapegno) ma 'insieme con te', riferito a *chiama*.
8. *porto*: 'termine, meta'.

43   1-2. Cfr. II 32 1-2.
3. *rube*: forma indotta dalla rima, come in DANTE, *Purg.* XVII 13.

fuor che d'amor dal qual non posso atarmi;
e m'infiammasti come a suon di tube
animoso caval s'infiamma all'armi,
fammi in tra gli altri, o Gloria, sí solenne,
ch'io batta insino al cel teco le penne.

44   E s'io son, dolce Amor, s'io son pur degno
essere il tuo campion contro a costei,
contro a costei da cui con forza e 'ngegno,
se ver mi dice il sonno, avinto sei,
fa' sí del tuo furor mio pensier pregno,
che spirto di pietà nel cor li crei:
mie virtú per se stessa ha l'ale corte,
perché troppo è 'l valor di costei forte.

45   Troppo forte è, signor, lo suo valore
che, come vedi, el tuo poter non cura;

4. *non posso atarmi*: clausola d'ascendenza petrarchesca (*RVF* CXXXIII
13) frequente nel Quattrocento lirico, ad es. LORENZO, canz. *Il tempo fugge* 12 (*Canz.* XLIX); la forma del verbo è «arcaismo di sapore popolaresco»
(Ghinassi).

5-6. Cfr. OVIDIO, *Met.* III 704-5 «ut fremit acer equus, cum bellicus
aere canoro / signa dedit tubicen, pugnaeque adsumit amorem» (Nannucci). - *m'infiammasti*: 'mi spronasti', coerentemente con la similitudine equestre
che provoca la paronomasia con la voce del verso successivo. - *tube*: scontato latinismo per 'trombe'.

6. *animoso*: 'coraggioso'.

7. *solenne*: 'eccellente'.

8. *cel*: cfr. I 4 3 e n. - *penne*: consueta metonimia per 'ali'.

44   1-2. L'andamento del verso ricorda DANTE, *Purg.* XIX 19 «Io son -
cantava - io son dolce serena»; si noti la giustapposizione delle proposizio-
ni, delimitate da ciascun verso, mediante l'ellissi della preposizione.

4. *se ver... sonno*: cfr. II 28 1-4. - *avinto*: 'fatto prigioniero'.

5. *pregno*: 'imbevuto', cfr. il v. 5 dell'ottava seguente.

6. *spirto di pietà*: 'sentimento di compassione', sintagma dantesco, *Inf.*
XIII 36.

7. Cfr. DANTE, *Par.* II 57. - *mie*: sing. - *per se stessa*: 'da sola'.

8. Chiara reminiscenza cavalcantiana, canz. *Io non pensava* 8 «troppo
è lo valor di costei forte».

45   1. Ancora un collegamento a mo' di coblas capfinidas.

2. Per il primo emistichio cfr. DANTE, *Inf.* V 105. - *cura*: 'teme'.

e tu pur suoli al cor gentile, Amore,
riparar come augello alla verdura.
Ma se mi presti el tuo santo furore,
leverai me sovra la tua natura;
e farai come suol marmorea rota,
che lei non taglia e pure il ferro arruota.

46   Con voi men vegno, Amor Minerva e Gloria,
ché 'l vostro foco tutto el cor m'avampa;
da voi spero acquistar l'alta vittoria,
ché tutto acceso son di vostra lampa;
datemi aita sí ch'ogni memoria
segnar si possa di mia eterna stampa,
e facci umíl colei ch'or ne disdegna:
ch'io porterò di voi nel campo insegna».

3-4. Citazione del celeberrimo *incipit* di canz. guinizzelliana «Al cor gentil
rempaira sempre amore / come l'ausello in selva a la verdura», in cui il gallicismo «rempaira» trascolora, a norma della vulgata quattrocentesca e della stessa Raccolta Aragonese, in *riparar*.
    5. Cfr. il v. 5 dell'ottava prec.
    6. *leverai... natura*: 'mi innalzerò al di sopra della tua condizione natu-
rale', che è quella della lascivia (cfr. I 11 7 e 13 4).
    7-8. Il paragone con la mola che pur non tagliando trasmette alla lama
la facoltà di tagliare sottolinea la metamorfosi di Iulio in campione di Amore,
cfr. ORAZIO, *Ars poet.* 304-5 «fungar vice cotis, acutum / reddere quae ferrum valet, exors ipsa secandi» (allegato da L. FORNACIARI, *Esempi di bello
scrivere in poesia*, Napoli, 1860[4], p. 190). - *marmorea*: generico, 'di pietra';
cfr. GDLI s. v. *Marmoreo* 13 che cita un solo esempio da Tasso. - *lei*: 'di
per sé'. - *ferro*: latinismo, 'lama'.

46   4. Cfr. II 32 4, e si noti il parallelismo col v. 2, anche se qui si pone
l'accento non sul fervore (*vostro foco*) ma sull'ispirazione (*vostra lampa*).
    6. Stilema dantesco, *Purg.* VIII 82 «segnato della stampa», e *Par.* XVII
9 «segnata bene dalla interna stampa» (in rima con *lampa* e *vampa*).
    7. *ne*: 'ci'.
    8. In effetti il vessillifero di Giuliano il giorno del torneo recava uno
stendardo con l'immagine di una Pallade guerriera armata tra l'altro di uno
scudo decorato con la testa di Medusa; la stessa Pallade posava i piedi su
due fiamme che ardevano rami d'olivo e guardava verso il sole che la sovra-
stava mentre, di fronte a lei, Cupido era legato ad un ceppo d'olivo ed aveva ai propri piedi arco, faretra e frecce spezzate; sul ceppo si scorgeva infine
un cartiglio col motto francese, riferito a Pallade, «la sans par». Sul vessillo, probabilmente dipinto per l'occasione da Botticelli, vedi S. SETTIS, *Citarea 'su una impresa di bronconi'*, «Journal of the Warburg and Courtauld
Institutes», XXXIV (1971), 135-77.

FABULA DI ORFEO

ANGELO POLIZIANO A MESSER CARLO CANALE SUO SALUTE[1]

Solevano i Lacedemonii, umanissimo messer Carlo mio, quando alcuno loro figliuolo nasceva o di qualche membro impedito o delle forze debile, quello exponere[2] subitamente, né permettere che in vita fussi riservato,[3] giudicando tale stirpa indegna di Lacedemonia. Cosí desideravo ancora io che la fabula di Orfeo, la quale a requisizione del nostro reverendissimo Cardinale Mantuano,[4] in tempo di dua giorni,[5] intra continui tumulti,[6] in stilo vulgare perché dagli spettatori meglio fusse intesa avevo composta, fussi di subito, non altrimenti che esso Orfeo, lacerata: cognoscendo questa mia figliuola essere di qualità da far piú tosto al suo padre vergogna che onore, e piú tosto atta a dargli maninconia che allegrezza. Ma vedendo che e voi e alcuni altri troppo di me amanti, contro alla mia volontà in vita la ritenete,[7] conviene ancora a me avere piú rispetto allo amor paterno e alla voluntà vostra che al mio ragionevole instituto. Avete però una giusta excusazione della voluntà vostra, perché essendo

---

[1] L'epistola mette in rilievo l'occasionalità e la rapidità della composizione con una sorta di *understatement* inteso a «dichiarare l'autenticità dell'ispirazione e l'importanza dell'opera, non a scusarne la casualità e i difetti dovuti alla fretta» (Tissoni Benvenuti), sull'esempio della dedicatoria staziana del primo libro delle *Silvae*. Analogo atteggiamento da parte di P. nella prefatoria alla *Manto* e in *Eleg.* XII 41-46. Il destinatario era nel novero dei familiares del cardinal Gonzaga ed avrà probabilmente avuto parte nell'allestimento scenico della favola (cfr. R. Zapperi in DBI ad vocem).

[2] *exponere*: 'ripudiare'.

[3] *riservato*: 'conservato, mantenuto'.

[4] *Cardinale Mantuano*: Francesco Gonzaga (1444-83), creato cardinale da papa Sisto IV nel 1461, legato pontificio a Bologna dal febbraio 1471.

[5] *in tempo di dua giorni*: può anche darsi si tratti di dichiarazione rispondente al vero, sebbene sia forgiata sull'esempio di STAZIO, *Silvae* I ep. ded. «Nullum enim ex illis biduo longius tractum, quaedam et in singulis diebus effusa... Respondebis illi tu, Stella carissime, qui epithalamion tuum, quod mihi iniuxeras, scis biduo scriptum» (Tissoni Benvenuti).

[6] *continui tumulti*: quelli del carnevale o comunque della festa che aveva dato occasione alla composizione.

[7] *ritenete*: 'trattenete'.

così nata sotto lo auspizio di sí clemente Signore, merita essere exempta da[8] la comun legge. Viva adunque, poi che a voi cosí piace; ma bene vi protesto che tale pietà è una expressa crudelità, e di questo mio iudizio desidero ne sia questa epistola testimonio. E voi che sapete la necessità della mia obedienza e l'angustia del tempo, vi priego che con la vostra autorità resistiate a qualunche[9] volessi la imperfezione di tale figliuola al padre attribuire. VALE.

MERCURIO *annunziatore della festa**

    Silenzio. Udite. E' fu già un pastore
figliuol d'Apollo, chiamato Aristeo.
Costui amò con sí sfrenato ardore
Euridice, che moglie fu di Orfeo,
che sequendola un giorno per amore   5
fu cagion del suo caso acerbo e reo:
perché, fuggendo lei vicina all'acque,
una biscia la punse; e morta giacque.
    Orfeo cantando all'Inferno la tolse,
ma non poté servar la legge data,   10

---

[8] *exempta da*: 'sottratta a'.

[9] *resistiate a qualunche*: 'fronteggiate, difendendomi, chiunque'; la forma del pronome è comune nel toscano quattrocentesco.

* Si avverta che «già nella rappresentazione di Leonardo Dati per il Certame Coronario si presenta per primo Mercurio che proemiando chiede silenzio ed ascolto ai circostanti» (Tissoni Benvenuti).

1. *Silenzio. Udite*: formula della commedia latina; la Tissoni Benvenuti cita opportunamente il *Prologus in Plauti Comoediam Menaechmos* dello stesso P.: «Heus, heus, tacete, stultis, vos, ego ut loquar...».

2. *Aristeo*: responsabile della morte di Euridice secondo la versione virgiliana del mito, cfr. M. DETIENNE, *Orphée au miel*, in *Faire de l'histoire*, III, Paris, 1974, 56-75.

3. *sfrenato ardore*: variante del petrarchesco «sfrenato ardire» (*RVF* XXIII 143), forse per effetto dell'eco di OVIDIO, *Met.* VI 465 «effreno captus amore» (Tissoni Benvenuti); cfr. 114.

6. *caso*: 'destino', cfr. 234. - *acerbo e reo*: cfr. PETRARCA, *RVF* CLXXII 9 e CCCXXV 111.

7. Cfr. VIRGILIO, *Geor.* IV 457 «illa quidem, dum te fugeret per flumina praeceps» (Tissoni Benvenuti).

8. *punse*: 'morse'.

10. *servar la legge data*: 'osservare la regola che gli era stata imposta', cioè di non voltarsi verso Euridice. Si noti la «rima equivoca con altro *data*, piú propriamente participiale» (Contini).

ché 'l poverel tra via drieto si volse
sí che di nuovo ella gli fu rubata:
però ma' piú amar donna non volse,
e dalle donne gli fu morte data.

Seguita un pastore schiavone
    State tenta, bragata! Bono argurio,   15
ché di cievol in terra vien Marcurio.

MOPSO *pastor vecchio*
    Hai tu veduto un mio vitelin bianco,
ch'ha una macchia nera in sulla fronte
e duo pie' rossi et un ginocchio e 'l fianco?

ARISTEO *pastor giovane*
    Caro mio Mopso, a pie' di questo fonte   20
non son venuti questa mane armenti,
ma senti' ben mugghiar là drieto al monte.
    Va', Tirsi, e guarda un poco se tu 'l senti.
Tu, Mopso, intanto ti starai qui meco,
ch'i' vo' ch'ascolti alquanto i mie lamenti.   25
    Ier vidi sotto quello ombroso speco
una ninfa piú bella che Dïana,
ch'un giovane amatore avea seco.
    Com'io vidi sua vista piú che umana,

---

11. *tra via*: 'lungo la via' del ritorno.

13. *Cfr.* OVIDIO, *Met*. X 79-80 «omnemque refugerat Orpheus / femi-
neam Venerem» (Tissoni Benvenuti). - *volse*: rima equivoca.

14. *donne*: le Baccanti, cfr. 293 sgg.

15-16. Si noti il gusto parodico nella deformazione, che nulla ha però
di slavo, delle parole: attenta (*tenta*), brigata (*bragata*), augurio (*argurio*), cielo
(*cievol*) e Mercurio (*Marcurio*).

17-19. Il motivo della ricerca dell'animale, già in Calpurnio III 1-2 («Num-
quid in hac, Lycida, vidisti forte iuvencam / valle meam?»), era stato ripreso nella prima delle *Pístole* di LUCA PULCI (73 sgg. «una cervia mi manca,
aresti vistola?...») e tornerà nel cap. VI dell'*Arcadia* sannazariana.

23. Cfr. CALPURNIO III 19-21 «Tityre, quas dixit, salices pete solus et
illinc, / si tamen invenies, deprensam verbere multo / huc age» (Tissoni Benvenuti).

24-25. Vedi ancora CALPURNIO III 13 «Altius ista querar, si forte vaca-
bis, Iolla» (Tissoni Benvenuti).

26. *speco*: 'grotta'.

29. *vista*: 'aspetto', «con *vidi* fa figura etimologica» (Contini). - *piú che*

subito mi si scosse il cor nel petto   30
e mie mente d'amor divenne insana:
   tal ch'io non sento, Mopso, piú diletto
ma sempre piango, e 'l cibo non mi piace,
e senza mai dormir son stato in letto.

MOPSO
   Aristeo mio, questa amorosa face   35
se di spegnerla tosto non fai pruova,
presto vedrai turbata ogni tua pace.
   Sappi ch'amor non m'è già cosa nuova;
so come mal, quand'è vecchio, si regge:
rimedia tosto, or che 'l rimedio giova.   40
   Se tu pigli, Aristeo, suo dure legge,
e' t'uscirà del capo e sciami et orti
e vite e biade e paschi e mandre e gregge.

ARISTEO
   Mopso, tu parli queste cose a' morti:

---

umana: 'sovrumana'; al maschile la clausola è in PETRARCA, *RVF* CXXVII
46, BOCCACCIO, *Filostrato* VII 76 4, e LORENZO, *Ambra* 29 3.
   30. Cfr. *Stanze* I 41 3.
   31. *mente... insana*: l'accostamento era già in Petrarca, *Tr. Pud.* 180.
   33-34. Cfr. PETRARCA, *RVF* CCXVI 1-3, cui la Tissoni Benvenuti as-
socia giustamente *Nencia* (red. V) 10-12 «ch'i' non posso inghiot[t]ir già
piú boc[c]one... non ho potuto stanocte dormire».
   35-36. Variazione sul precetto ovidiano di *Rem. am.* 91 «principiis ob-
sta»; si noti l'andamento prolettico e si veda pure SENECA, *Phaedra* 131-32
«extingue flammas neve te dirae spei / praebe obsequentem» (Tissoni Benvenuti). - *face*: 'fiamma'. - *fai pruova*: 'tenti'.
   38. *nuova*: 'sconosciuta'.
   39. Ricorda la serie petrarchesca di *Tr. Cupid.* III 151-77. - *quand'è vecchio*: riferito al sentimento amoroso, 'quando dura da tempo'. - *si regge*: 'si
frena'.
   41. *Se tu pigli*: sottint. su di te. - *dure legge*: junctura staziana (*Theb.* VIII
60 «durae melior violentia legis») e poi petrarchesca (*Tr. Cupid.* III 148);
cfr. 235 e anche 260 e n.
   42-43. Tópos bucolico (TEOCRITO X 14; VIRGILIO, *Buc.* II 70; NEME-
SIANO, *Ecl.* II 33-5). - *t'uscirà del capo*: 'ti dimenticherai di'. - *sciami*: ovviamente di api. - *vite*: 'viti'. - *paschi*: 'pascoli'.
   44. *tu parli... morti*: proverbiale, 'dici queste cose a chi non ti ascolta';
si noti *parli* trans.

sí che non spender meco tal parole,   45
acciò che 'l vento via non se le porti.
    Aristeo ama e disamar non vuole,
né guarir cerca di sí dolce doglie:
quel loda amor che di lui ben si duole.
    Ma se punto ti cal delle mie voglie,   50
deh, tra' fuor della tasca la zampogna,
e canteren sotto l'ombrose foglie:
ch'i' so che la mia ninfa el canto agogna.

Canzona
    Udite, selve, mie dolce parole,
poi che la ninfa mia udir non vuole.   55
    La bella ninfa è sorda al mio lamento
e 'l suon di nostra fistula non cura:
di ciò si lagna el mio cornuto armento,

45-46. Immagine diffusa, cfr. in particolare CLAUDIANO, *De raptu Pros.*
III 133-34 «Procul inrita venti / dicta ferant» (Tissoni Benvenuti) e PE-
TRARCA, *RVF* CCLXVII 14 «ma 'l vento ne portava le parole», da cui dipende GIROLAMO BENIVIENI, *Egloghe* II 69 «e 'l vento se ne porta le parole»
(Tissoni Benvenuti).
   47. Cfr. PETRARCA, *Tr. Cupid.* III 46.
   48. *dolce doglie*: per l'ossimoro si ricordi *Stanze* I 2 4, 8 4 ecc.
   49. *quel... duole*: 'elogia Amore colui che ha motivo di rammaricarse-
ne'; si noti l'adnominatio fra la parola-rima e quella del verso prec.
   52. *canteren*: 'canteremo', con desinenza tipica del fiorentino quattrocentesco, ricorrente anche altrove (159 *svolgeren* e 337 *faren*).
   53. Riecheggia CALPURNIO III 40-42 «Iam dudum meditor, quo Phylli-
da carmine placem. / Forsitan audito poterit mitescere cantu; / et solet illa
meas ad sidera ferre Camoenas» (Tissoni Benvenuti).
   54-87. Ballata, sullo schema preferito da P. anche nelle ballate in ende-
casillabi che si leggono tra le sue rime (XX, ABABBX). Per l'attacco (oltre
alla canz. *Monti, valli, antri e colli* 13 «udite il suon de' tristi mie lamenti»)
si ricordino quelli del cap. *Udite, monti alpestri, li mie versi* di GIUSTO DE'
CONTI; quello della *Mirtia* albertiana: *Udite e nostri lacrimosi canti*; quello
dell'egloga *Udite, selve e boschi, il mio ramarico* di PIETRO DE JENNARO; i
vv. 61-62 del «mandrialis» *Se io pareggiasse il canto ai tristi lai* del BOIARDO:
«Odite, selve, e prendavi pietate / del mio dolor» (addotti da Bigi); e i vv.
37-38 dell'egloga I di GIROLAMO BENIVIENI «Udite almen voi, selve, il
mio lamento: / poi che Daphni non m'ode...» (Tissoni Benvenuti).
   57. *fistula*: zampogna a piú canne (cfr. 51), classico strumento d'accom-
pagnamento della poesia pastorale (VIRGILIO, *Buc.* II 36-37 ecc.).
   58-61. Motivo topico della bucolica classica (TEOCRITO IV 46 sgg.; VIR-
GILIO, *Buc.* V 24-26; Nemesiano, *Ecl.* II 29-30) fatto proprio in termini

né vuol bagnare il grifo in acqua pura;
non vuol toccar la tenera verdura,   60
tanto del suo pastor gl'incresce e dole.

    Udite, selve, mie dolce parole,
poi che la ninfa mia udir non vuole.

    Ben si cura l'armento del pastore:
la ninfa non si cura dell'amante,   65
la bella ninfa che di sasso ha 'l core,
anzi di ferro, anzi l'ha di diamante.
Ella fugge da me sempre davante
com'agnella dal lupo fuggir suole.

    Udite, selve, mie dolce parole,   70
poi che la ninfa mia udir non vuole.

    Digli, zampogna mia, come via fugge
cogli anni insieme suo bellezza snella
e digli come 'l tempo ne distrugge,
né l'età persa mai si rinnovella: 75
digli che sappi usar suo forma bella,
che sempremai non son rose e viole.

    Udite, selve, mie dolce parole,
Poi che la ninfa mia udir non vuole.

---

assai simili da NALDO NALDI, *Alpheus* 135-38 (cit. dalla Tissoni Benvenuti) «Adde quod et tristes hac tempestate capellae / faucibus extiterant siccis, nec pabula terrae / ulla dedere gregi misero, nec flumina cuiquam / extinxere sitim: tantus dolor attigit omnes» (*Bucolica, Volaterrais, Hastiludium, Carmina varia*, ed. W.L. Grant, Florentiae, 1974). - *cornuto armento*: la mandria di bovini (cfr. 127); in LORENZO, *Ambra* 10 5 è in clausola «pennuto armento». - *grifo*: cfr. *Stanze* I 86 6 e n. - *gl'incresce e dole*: dittologia sinonimica.

    65. *cura*: replica la voce del verso prec. sottolineando cosí l'antitesi tra i due concetti.

    66-67. Cfr. *Eleg*. IV 5-6; il modello è OVIDIO, *Met*. XIV 712-14 «Durior et ferro quod Noricus excoquit ignis, / et saxo quod adhuc vivum radice tenetur, / spernit et irridet» (Tissoni Benvenuti), e vedi anche PETRARCA, *RVF* CLXXI 10. - *ninfa*: nuova replicatio, su voce presente nella ripresa.

    69. Cfr. OVIDIO, *Met*. I 505-6 «sic agna lupum, sic cerva leonem / sic aquilam penna fugiunt trepidante columbae» (Nannucci), e vedi anche *Stanze* 109 5-6. - *fuggir*: si noti il rapporto di paronomasia col *fugge* del verso prec.

    73. *snella*: 'agile' e quindi 'rapida', cfr. *Stanze* II 22 6.

    76. *usar*: viene probabilmente da TIBULLO I 8 47-48 «At tu, dum primi floret tibi temporis aetas / utere» (Tissoni Benvenuti). - *forma bella*: in rapporto di sinonimia con *bellezza* del v. 73.

Portate, venti, questi dolci versi   80
drento all'orecchie della donna mia:
dite quanto io per lei lacrime versi
e la pregate che crudel non sia;
dite che la mia vita fugge via
e si consuma come brina al sole.   85

Udite, selve, mie dolce parole,
poi che la ninfa mia udir non vuole.

MOPSO

El non è tanto el mormorio piacevole
delle fresche acque che d'un sasso piombano,
né quando soffia un ventolino agevole   90
fra le cime de' pini e quelle trombano,
quanto le rime tue son sollazzevole,
le rime tue che per tutto rimbombano:
s'ella l'ode, verrà com'una cucciola.
Ma ecco Tirsi che del monte sdrucciola.   95

Ch'è del vitello? ha'lo tu ritrovato?

TIRSI

Sí, cosí gli avessi io el collo mozzo!
ch'è poco men che non m'ha sbudellato,

80-81. Cfr. VIRGILIO, *Buc.* III 73 «partem aliquam, venti, divum refe-
ratis ad aures» (Nannucci).
84. La ripresa del motivo dei vv. 72-73 induce il ribaltamento della clausola dello stesso v. 72.
85. Per l'immagine cfr. *Stanze* I 57 1-4 e nn.
88-89. Cfr. GIROLAMO BENIVIENI, *Egloghe* II 154-55 «Noi ci starem fra
l'erba al suon cantando / dell'acque, che dagli alti sassi piombano», in rima
con «rimbombano» e «rombano» (Tissoni Benvenuti); vedi anche *Stanze* I
28 (rima B). L'immagine comunque, come annotava il Nannucci, era già
in TEOCRITO I 7-8. Si noti che il primo *El* è impersonale. - *tanto*: va con
piacevole.
90-91. Cfr. *Stanze* I 83 4 e n. - *agevole*: 'leggero' (forse da *agilis*), la Tissoni Benvenuti ricorda SENECA, *Quaest. nat*. 2 10 «aer agilior et tenuior».
- *trombano*: 'risuonano' ovvero «frusciano» (Contini).
95-96. Nuovo spunto dovuto a CALPURNIO III 97-98 «Tityrus... qui venit inventa non irritus ecce iuvenca» (Tissoni Benvenuti). - *sdrucciola*: 'scende'; la rima baciata *sdrucciola-cucciola* era pure in un sonetto di Matteo
Franco, dell'estate del 1476, che P. conosceva bene (cfr. Carrai, *Le muse
dei Pulci* 77-80), oltre che in LUCA PULCI, *Pístole* VIII 140-42 e in FILE-
NIO GALLO, *Saphyra* 595-97.
97. *mozzo*: part. forte, 'mozzato'.

sí corse per volermi dar di cozzo.
Pur l'ho poi nella mandria raviato,   100
ma ben so dirti che gli ha pieno il gozzo:
i' ti so dir che gli ha stivata l'epa
in un campo di gran, tanto che crepa.

   Ma io ho vista una gentil donzella
che va cogliendo fiori intorno al monte.   105
I' non credo che Vener sia piú bella,
piú dolce in atto o piú superba in fronte:
e parla e canta in sí dolce favella
che i fiumi isvolgerebbe inverso il fonte;
di neve e rose ha 'l volto e d'or la testa,   110
tutta soletta e sotto bianca vesta.

ARISTEO
   Rimanti, Mopso, ch'i la vo' seguire,
perché l'è quella di ch'io t'ho parlato.

MOPSO
   Guarda, Aristeo, che 'l troppo grande ardire
non ti conduca in qualche tristo lato.   115

ARISTEO
   O mi convien questo giorno morire,
o tentar quanta forza habbia 'l mie fato.

   99. *dar di cozzo*: con le corna, la stessa clausola e le altre due parole-rima
in -*ozzo* presso DANTE, *Inf.* IX 95-99.
   100. *raviato*: 'ricondotto'.
   102-103. Altre parole-rima di derivazione dantesca (*Inf.* XXX 119-21).
- *stivata l'epa*: 'riempito il ventre'.
   104-105. Per il quadretto cfr. *Stanze* I 47 1-4 e n.
   107. *in atto*: 'nell'atteggiamento', cfr. *Stanze* I 110 6. - *superba in fronte*:
come Simonetta in *Stanze* I 43 4.
   108. Espressione pressoché identica in *Stanze* I 46 8.
   109. Frequente adúnaton, anche in *Nutricia* 286 e nell'ode *Puella* 90.
   110. Cfr. PETRARCA, *RVF* CLVII 9 e CCXIX 5; vedi pure *Stanze* I 44
5-6 e n., cui si aggiunge qui il rinvio all'ode *Puella* 40-42.
   111. *tutta soletta*: cfr. *Stanze* I 52 2 e n. - *sotto bianca vesta*: cfr. *Stanze*
I 37 7 e 43 1.
   114. *troppo grande ardire*: eco petrarchesca, per cui cfr. 3 e n.
   115. *non... lato*: 'non abbia per te cattive conseguenze'.
   117. Forse ricordo di VIRGILIO, *Aen.* XI 761 «quae sit fortuna facilli-
ma temptat» (Tissoni Benvenuti).

Rimanti, Mopso, intorno a questo fonte,
ch'i' vogl'ire a trovalla sopra 'l monte.

MOPSO
    O Tirsi, che ti par del tuo car sire?   120
Vedi tu quanto d'ogni senso è fore!
Tu gli dovresti pur tal volta dire
quanta vergogna gli fa questo amore.

TIRSI
    O Mopso, al servo sta bene ubidire,
e matto è chi comanda al suo signore.   125
Io so che gli è più saggio assai che noi:
a me basta guardar le vacche e' buoi.

ARISTEO *ad Euridice*
    Non mi fuggir, donzella,
ch'i' ti son tanto amico
e che più t'amo che la vita e 'l core.   130
    Ascolta, o ninfa bella,
ascolta quel ch'i' dico;
non fuggir, ninfa, chi ti porta amore.
    Non son qui lupo o orso,
ma son tuo amatore: 135
dunque rafrena il tuo volante corso.
    Poi che el pregar non vale

---

121. *senso*: 'ragione'.

124-27. Nella devozione del servo Tirsi per Aristeo potrebbe essere adombrato, secondo un espediente tipico del genere bucolico, l'ossequio reso da Poliziano stesso al proprio signore, sicché Tirsi sarebbe l'alter ego del poeta cortigiano cui, giusta la metafora del v. 127, basta attenersi al compito di far poesia; cfr. «Rivista di Letteratura Italiana», V (1987), pp. 182-83.

128-35. Per l'intero brano cfr. *Stanze* I 109 2-8 e n. L'invocazione di Aristeo ha schema metrico non comune (abCabCdcDeffE) in cui M. Scherillo vedeva «una stanza di canzone petrarchesca, col verso di chiave leggermente spostato» (*Il Rinascimento*, Milano, 1926, 341), mentre la Tissoni Benvenuti lo riconnette piuttosto al genere madrigalesco. - *Non... donzella*: riecheggiato in NICCOLÒ DA CORREGGIO, *Fabula de Cefalo* II 97 «Deh, non fugir, donzella». - *Ascolta... ascolta*: si noti l'anafora. - *non fuggir, ninfa*: variante di 128.

136. *corso*: 'corsa', cfr. 148.

137. Cfr. BOCCACCIO, *Ninfale fiesolano* 105 1 «Ma i' veggio ben che 'l pregar non mi vale» (Tissoni Benvenuti).

e tu via ti dilegui,
e' convien ch'io ti segui.
Porgimi, Amor, porgimi hor tue ale!   140

Seguitando Aristeo Euridice, ella si fugge drento alla selva, do-
ve punta dal serpente grida, e simile Aristeo. Segue poi un pa-
store ad Orfeo cosí:

Crudel novella ti rapporto, Orfeo:
che tuo ninfa bellissima è defunta.
Ella fuggiva l'amante Aristeo,
ma, quando fu sovra la riva giunta,
da un serpente venenoso e reo,   145
ch'era fra l'erb'e' fior', nel pie' fu punta:
e fu tanto possente e crudo el morso
ch'ad un tratto finí la vita e 'l corso.

ORFEO
Dunque piangiamo, o sconsolata lira,
ché piú non si convien l'usato canto.   150
Piangiam, mentre che 'l ciel ne' poli agira,
e Filomela ceda al nostro pianto.
O cielo, o terra, o mare! o sorte dira!
Come potrò soffrir mai dolor tanto?

---

140. Cfr. OVIDIO, *Met.* I 540 «Qui tamen insequitur, pennis adiutus
amoris» (Tissoni Benvenuti); identico incedere a 169. Mentre Euridice, come
recita la didascalia che segue, trova la morte, compare in scena Orfeo.
143-46. Cfr. VIRGILIO, *Geor.* IV 457-59 «Illa quidem dum te fugeret
per flumina praeceps / immanem ante pedes hydrum moritura puella / ser-
vantem ripas alta non vidit in herba» (Carducci); per l'immagine del serpente vedi anche *Stanze* I 15 3.
148. *ad un tratto*: 'nel medesimo istante'. - *corso*: cfr. 136 e n.
149. Cfr. ALBERTI, *Mirtia* 4 «Piangi con meco, piangi, o mesta lira» (Tissoni Benvenuti).
150. Come per la morte di Laura aveva detto PETRARCA, *RVF* CCXCII
12 «Or sia qui fine al mio amoroso canto» (in rima con *pianto*).
151. *Piangiam*: replicatio da 149 e adnominatio con 152 (*pianto*). - *mentre... agira*: 'per sempre', «allusione alla durata del pianto di Orfeo in VIR-
GILIO, *Geor.* IV 466» (Tissoni Benvenuti).
152. Per il mito cui si accenna cfr. *Stanze* I 60 3-4 e n. - *ceda al nostro
pianto*: 'cessi il suo lamento sentendo il nostro'.
153. *dira*: latinismo, 'crudele'.

Euridice mia bella, o vita mia,   155
senza te non convien che 'n vita stia.

    Andar conviemmi alle tartaree porte
e provar se là giú merzé s'empetra.
Forse che svolgeren la dura sorte
co' lacrimosi versi, o dolce cetra;   160
forse ne diverrà pietosa Morte
ché già cantando abbiam mosso una pietra,
la cervia e 'l tigre insieme avemo accolti
e tirate le selve, e' fiumi svolti.

    Pietà! Pietà! Del misero amatore   165
pietà vi prenda, o spiriti infernali.
Qua giú m'ha scorto solamente Amore,
volato son qua giú colle sue ali.
Posa, Cerbero, posa il tuo furore,

    155. *Euridice mia bella*: cfr. 204 e 252.

    156. *non convien*: 'non è opportuno'. - *vita*: si noti la replicatio, con equivocatio, dal verso prec.

    157. *conviemmi*: ripresa dall'ultimo verso dell'ottava prec. - *tartaree porte*: clausola petrarchesca (*RVF* CCCLVIII 6), cfr. anche *Stanze* I 28 6.

    158. *merzé s'empetra*: 'si ottiene grazia', variante d'altra clausola petrarchesca (*RVF* CXXVI 37). Cfr. 179.

    159. *svolgeren*: 'rovesceremo, ribalteremo' (con desinenza fiorentina). - *dura sorte*: variante della clausola di 153, stavolta a norma strettamente petrarchesca (*RVF* CCLIII 5, CCCXI 6, CCCXXIII 12 e *Tr. Pud.* 144).

    160. *lacrimosi versi*: in Petrarca, *RVF* CCCXXXII 40 «lacrimose rime».

    161. *pietosa Morte*: inversione della clausola di PETRARCA, *Tr. Mor.* I 108.

    162. Cfr. OVIDIO, *Met.* XI 2 dove Orfeo «et saxa sequentia ducit» (Tissoni Benvenuti); e per la potenza del canto orfico, oltre a *Nutricia* 285-90 e *Manto* praef. 13-22, si vedano anche VIRGILIO, *Geor.* IV 510; ORAZIO, *Od.* I 12 9-12; e CLAUDIANO, *De raptu Pros.* II praef.

    163. Cfr. CLAUDIANO, *De raptu Pros.* II praef. 27 «concordes varia ludunt cum tigride dammae» (Tissoni Benvenuti).

    164. *tirate*: 'trascinate'. - *e' fiumi svolti*: replica il verbo di 159 e l'intera immagine paradossale di 109.

    165-66. La replicatio sottolinea il tono accorato del lamento, come nell'inizio del rispetto «Pietà vi prenda del mio afflitto core / pietà, se pietà alcuna in voi si serba, / muovavi l'esservi stato amatore».

    167. Cfr. PETRARCA, *RVF* CCXI 1 «Amor mi guida e scorge»; si ricordi inoltre *Stanze* I 109 8 e vedi piú avanti 194-96. - *scorto*: 'guidato'.

    168. Cfr. 140 e n. - *qua giú*: riprende in cesura il sintagma posto in esordio del verso prec.

    169. Lo stesso incedere a 140.

che, quando intenderai tutti e mie mali,   170
non solamente tu piangerai meco,
ma qualunque è qua giú nel mondo cieco.

    Non bisogna per me, Furie, mugghiare,
non bisogna arricciar tanti serpenti:
se voi sapessi le mie doglie amare,   175
faresti compagnia a' mie lamenti.
Lasciate questo miserel passare
c'ha 'l ciel nimico e tutti gli elementi,
che vien per impetrar merzé da Morte:
dunque gli aprite le ferrate porte.   180

PLUTO
    Chi è costui che con suo dolce nota
muove l'abisso e con l'ornata cetra?
I' veggo fissa d'Issïon la rota,
Sisifo assiso sopra la sua petra
e le Belide star con l'urna vota,   185

---

172. *qua giú*: cfr. 167-68. - *qualunque*: 'chiunque'. - *mondo cieco*: cfr.
Dante, *Inf*. XXVII 25 e IV 13.

173-74. Per i capelli delle Furie nel *Commento alle «Selve» di Stazio* 415
P. cita ESCHILO, *Ch*. 1049, che ad esse «primus serpentinos capillos tri-
buit», sicché «il passo è probabile fonte diretta per questo *arricciar*» (Tissoni Benvenuti), sebbene l'immagine fosse nel frattempo divenuta topica e
fosse stata accolta anche da DANTE, *Inf*. IX 38 sgg. - *non bisogna*: 'non c'è
bisogno di', si noti l'anafora col verso prec. - *mugghiare*: qui 'urlare'.

177. *miserel*: cfr. *Stanze* I 12 2 e n.

178. *'l ciel... gli elementi*: per l'abbinamento cfr. *Stanze* I 100 4.

179. *impetrar merzé*: cfr. 158.

180. *ferrate porte*: quelle infernali, tradizionalmente di metallo (cfr. VIR-
GILIO, *Aen*. VII 622 e STAZIO, *Theb*. VIII 56).

181. Dantesche sia la mossa iniziale (*Inf*. VIII 84 e *Purg*. XIV 1) sia la
clausola (*Par*. X 143).

182. *muove*: a pietà. - *ornata*: qui nel senso di 'armoniosa'.

183. Si bloccano al canto di Orfeo i tormentosi congegni infernali; nella
fattispecie quello di Issione, punito da Giove con la condanna a far girare
in eterno una ruota cinta da serpenti, per cui cfr. VIRGILIO, *Aen*. IV 484
«atque Ixionei vento rota constitit orbis» (Affò) e BOEZIO, *De consolatione* III m. 12 34-35 «non Ixionium caput / velox praecipitat rota».

184. Cfr. OVIDIO, *Met*. X 44 «inque tuo sedisti Sisyphe saxo» (Nannucci); il supplizio di Sisifo consisteva, com'è noto, nel volgere perpetua-
mente un masso su per le pendici di una montagna.

185. Cfr. OVIDIO, *Met*. X 43-44 «urnisque vacarunt / Belides» (Nannucci); la punizione delle Danaidi stava appunto nel riempire senza sosta un'urna.

né piú l'acqua di Tantalo s'arretra;
e veggo Cerber con tre bocche intento
e·lle Furie acquietate al pio lamento.

ORFEO
    O regnator' di tutte quelle genti
c'hanno perduto la superna luce,   190
al qual discende ciò che gli elementi,
ciò che natura sotto 'l ciel produce,
udite la cagion de' mie lamenti.
    Pietoso Amor de' nostri passi è duce:
non per Cerber legar fei questa via,   195
ma solamente per la donna mia.

    Una serpe tra' fior' nascosa e l'erba
mi tolse la mia donna, anzi il mio core:

---

186. Cfr. OVIDIO, *Met.* X 41-42 «nec Tantalus undam / captavit refugam» (Nannucci), CLAUDIANO, *De raptu Pros.* II 336 «non aqua Tantaleis subducitur invida labris» (Nannucci) e BOEZIO, *De consolatione* III m. 12 36-37; vedi inoltre *Stanze* I 36 5-8 e n.

187. Cfr. VIRGILIO, *Geor.* IV 483 «tenuitque inhians tria Cerberus ora» (Affò).

188. Adattamento di VIRGILIO, *Geor.* IV 481-83 «ipsae stupuere... Eumenides» (Affò).

189-92. Cfr. OVIDIO, *Met.* X 17-18 «O positi sub terra numina mundi / in quem decidimus quicquid mortale creamur» (Nannucci). - *regnator*': Plutone e Proserpina, sovrani infernali. - *c'hanno... luce*: ricorda il dantesco «c'hanno perduto il ben dell'intelletto» (*Inf.* III 18). - *superna*: del mondo terreno, che sovrasta l'inferno. - *al qual*: «diretta ripresa dell'ovidiano 'in quem'» riferita «*ad sensum* ad un 'regno' non esplicitamente nominato» (Tissoni Benvenuti); l'anonimo della *Orphei tragoedia* muta senz'altro in *ai qual* (cfr. 205 *a voi ritorna* e 206 *a voi ricade*). - *ciò che... ciò che*: la Tissoni Benvenuti ha messo in relazione per prima la repetitio con CLAUDIANO, *De raptu Pros.* II 294-97 «quidquid alit tellus, quidquid maris aequora verrunt / quod fluvii volvunt, quod nutrivere paludes / cuncta tuis pariter cedent animalia regnis».

194. Cfr. 167 e n.

195. *non per... via*: allusione all'impresa di Ercole, cfr. OVIDIO, *Met.* X 20-22 «non huc, ut opaca viderem / Tartara, descendi; nec uti villosa colubris / terna Medusei vincirem guttura monstri» (Nannucci; la Tissoni Benvenuti ricorda anche che «nel margine del suo incunabolo ovidiano, di fianco a questo verso, il Poliziano glossa: *Meduseum monstrum Cerberus*»).

196. Eco ovidiana, *Met.* X 23 «causa viae coniunx» (Carducci).

197. Cfr. 145-46.

ond'io meno la vita in pena acerba,
né posso piú resistere al dolore.   200
Ma se memoria alcuna in voi si serba
del vostro celebrato antico amore,
se la vecchia rapina a mente avete,
Euridice mie bella mi rendete.

Ogni cosa nel fine a voi ritorna,   205
ogni cosa mortale a voi ricade:
quanto cerchia la luna con suo corna
convien ch'arrivi alle vostre contrade.
Chi piú chi men tra' superi soggiorna,
ognun convien ch'arrivi a queste strade;   210
quest'è de' nostri passi extremo segno:
poi tenete di noi piú longo regno.

Cosí la ninfa mia per voi si serba
quando suo morte gli darà natura.
Or la tenera vite e l'uva acerba   215
tagliata avete colla falce dura.

199. *meno la vita*: junctura petrarchesca (*RVF* LXXX 1 e CCCXXXII
9, *Tr. Cupid.* I 86).

202. *celebrato*: cfr. *Stanze* II 31.

203. Cfr. ancora OVIDIO, *Met.* X 28-29 «Famaque si veteris non est
mentita rapinae / vos quoque iunxit Amor» (Carducci); la *rapina* è, come
nella fonte, il ratto di Proserpina da parte di Plutone.

204. *Euridice mie bella*: cfr. 155 e 252.

205-6. Cfr. GIROLAMO BENIVIENI, *Egloghe* II 82 «ogni cosa mortal corre al suo fine» (Tissoni Benvenuti); e si noti l'anafora.

207. *quanto cerchia la luna*: ricorda CLAUDIANO, *De raptu Pros.* I 59-60
«quidquid ubique / gignit materies...» (Sapegno) e DANTE, *Inf.* II 77-78
«ogni contento / di quel ciel c'ha minor li cerchi sui» (dantesco è del resto
anche il verbo 'cerchiare').

209. Cfr. PROPERZIO II 28 58 «longius aut propius mors sua quemque
manet» (Sapegno).

210-12. In quest'ottava dall'inizio gnomico piú chiaramente riconosci-
bile è l'origine ovidiana dei tre versi finali: *Met.* X 32-35 «Omnia debemur
vobis, paulumque morati / serius aut citius sedem properamus ad
unam. / Tendimus huc omnes, haec est domus ultima, vosque / humani ge-
neris longissima regna tenetis» (Nannucci). - *convien ch'arrivi*: replica il sintagma di 208. - *segno*: 'orma'.

213-14. Ancora un calco da OVIDIO, *Met.* X 36-37 «Haec quoque, cum
iustos matura peregerit annos / iuris erit vestri» (Nannucci).

215-16. Cfr. OVIDIO, *Am.* II 14 23-25 «Quid plenam fraudas vitem cre-
scentibus uvis / pomaque crudeli vellis acerba manu? / Sponte fluant materia sua» (Tissoni Benvenuti).

Chi è che mieta la semente in erba
e non aspetti che la sie matura?
Dunque rendete a me la mia speranza:
i' non vel chieggo in don, quest'è prestanza.   220

Io ve ne priego pelle turbide acque
della palude Stigia e d'Acheronte;
pel Caos onde tutto el mondo nacque
e pel sonante ardor di Flegetonte;
pel pomo ch'a te già, regina, piacque   225
quando lasciasti pria nostro orizonte.
E se pur me la nieghi iniqua sorte,
io non vo' su tornar, ma chieggo morte.

PROSERPINA
Io non credetti, o dolce mie consorte,
che Pietà mai venisse in questo regno: 230
or la veggio regnare in nostra corte
et io sento di lei tutto 'l cor pregno;
né solo i tormentati, ma la Morte
veggio che piange del suo caso indegno:
dunque tua dura legge a·llui si pieghi,   235
pel canto, pell'amor, pe' iusti prieghi.

217-18. Cfr. VIRGILIO, *Geor.* I 111-113 «Quidqui, ne gravidis procumbat culmus aristis, / luxuriem segetum tenera depascit in herba, / cum primum sulcos aequant sata...?» (Tissoni Benvenuti).
220. Precisa eco di OVIDIO, *Met.* X 37 «pro munere poscimus usum» (Nannucci). - *prestanza*: nel senso di 'prestito'.
221. *turbide acque*: l'agg. dipende forse da VIRGILIO, *Aen.* VI 296 o da Dante, *Inf.* IX 64.
223. Cfr. OVIDIO, *Met.* X 30 «Per Chaos hoc ingens...» (Nannucci).
224. *sonante*: bollente e perciò 'gorgogliante', forse per attrazione di TIBULLO I 3 68 «quam circum flumina nigra sonant» (Tissoni Benvenuti).
225. *regina*: Proserpina, che sarebbe potuta tornare per sempre nel mondo terreno se non avesse gustato il melograno; cfr. infatti OVIDIO, *Met.* V 534-36 «quoniam ieiunia virgo / solverat et cultis dum simplex errat in hortis / poeniceum curva decerpserat arbore pomum» (Carducci).
227-28. Cfr. ancora OVIDIO, *Met.* X 38-39 «Quod si fata negant veniam pro coniuge, certum est / nolle redire mihi» (Nannucci).
229. *Io non credetti*: avvio dantesco (*Inf.* VIII 96 e XVII 93, *Par.* VI 19).
230. *questo regno*: clausola dantesca (*Inf.* VIII 90 e *Par.* XIX 103).
233-34. Cfr. 161 - *tormentati*: voce dantesca, *Inf.* VI 4. - *caso indegno*: 'destino immeritato' (l'agg. è in tale accezione un latinismo); cfr. 6 e n.
235. *dura legge*: cfr. 41 e n.
236. *iusti prieghi*: clausola petrarchesca, *RVF* CCLXXXVI 10.

PLUTO

    Io te la rendo, ma con queste leggi:
che la ti segua per la ceca via,
ma che tu mai la suo faccia non veggi
finché tra' vivi pervenuta sia;   240
dunque el tuo gran disire, Orfeo, correggi,
se non, che tolta subito ti fia.
I' son contento che a sí dolce plettro
s'inchini la potenza del mio scettro.

Orfeo vien cantando alcuni versi lieti e volgesi.

EURIDICE *parla:*

    Oimè, che 'l troppo amore   245
n'ha disfatti ambedua.
Ecco ch'i' ti son tolta a gran furore,
né sono ormai piú tua.
Ben tendo a te le braccia, ma non vale,
ché 'ndrieto son tirata. Orfeo mie, vale!   250

    237-40. Piú che OVIDIO, *Met.* X 50-52, P. sembra aver presente qui
BOEZIO, *De consolatione* III m. 12 40-46 «Vincimur! - arbiter / umbrarum
miserans ait - / donamus comitem viro - / emptam carmine coniugem; / sed
lex dona coherceat» / ne, dum Tartara liquerit, / fas sit lumina flectere».
- *ceca via*: sintagma rifatto su modello dantesco per cui vedi 172 e n.; e
per la grafia dell'agg. cfr. *Stanze* I 12 1, 13 1, 13 8 e 75 3.
    241. Cfr., sebbene piú tardo, NICCOLO' DA CORREGGIO, *Fabula de Ce-
falo* I 24 «dunque, madonna, il tuo desio correggi». - *correggi*: 'raffrena',
cfr. *Stanze* I 118 2.
    243. *plettro*: per metonimia 'melodia'.
    245. Cfr. il risp. *Omè, che 'l troppo amore a morte mena* e l'eco riscon-
trabile in NICCOLO' DA CORREGGIO, *Fabula de Cefalo* V 57-59 «Perdona,
o sancta dea, che 'l troppo amore / con l'alegrezza mia dir non mi lassa / quel
ch'io vorebbi e ch'io son debitore».
    246. *n'ha disfatti*: richiama il dantesco «che morte tanta n'avesse disfat-
ta» (*Inf.* III 57).
    247. *a gran furore*: in VIRGILIO, *Geor.* IV 495 Euridice chiede «Quis tan-
tus furor?» (Affò).
    248-49. *né sono... le braccia*: cfr. VIRGILIO, *Geor.* IV 498 «invalidasque
tibi tendens, heu non tua, palmas» (Affò) e OVIDIO, *Met.* X 58 «bracchiaque intendens» (Sapegno).
    250. *'ndrieto son tirata*: cfr. VIRGILIO, *Geor.* IV 495-96 «en iterum cru-
delia retro / fata vocant» (Affò). - *vale*: in OVIDIO, *Met.* X 62 «Supremum-
que vale» (Tissoni Benvenuti). Si noti la rima equivoca.

ORFEO

    Oimè, se' mi tu tolta,
Euridice mie bella? O mie furore,
o duro fato, o ciel nimico, o Morte!
O troppo sventurato el nostro amore!
Ma pure un'altra volta   255
convien ch'i' torni alla plutonia corte.

UNA FURIA

    Piú non venire avanti, anzi 'l pie' ferma
e di te stesso omai teco ti dole:
vane son tuo parole,
vano el pianto e 'l dolor. Tuo legge è ferma.   260

ORFEO

    Qual sarà mai sí miserabil canto
che pareggi il dolor del mie gran danno?
O come potrò mai lacrimar tanto
ch'i' sempre pianga el mio mortale affanno?
Staròmmi mesto e sconsolato in pianto   265
per fin ch'e cieli in vita mi terranno:
e poi che sí crudele è mia fortuna,
già mai non voglio amar piú donna alcuna.

    Da qui innanzi vo' côr e fior' novelli,
la primavera del sesso migliore,   270

252. *Euridice mie bella*: cfr. 155 e 204.

256. Cfr. l'oraziana «domus exilis Plutonia» (*Od.* I 4 17) cit. dalla Tissoni Benvenuti. - *convien*: 'occorre'.

258. *e di te... dole*: 'e di quanto ti è accaduto lamentati ormai (solo) con te stesso', vale a dire 'non tornare a dolertene in inferno'; ricorda il petrarchesco «di me medesmo meco mi vergogno» (*RVF* I 11).

260. *vano*: si noti la replicatio dal verso prec. - *Tuo legge è ferma*: 'la condanna per te è stabilita', ossia 'il tuo destino è segnato in eterno'; cfr. LORENZO, *Selve* I 52 8 «cosí sta ferma questa dura legge». E si noti la rima equivoca.

261. *miserabil canto*: 'melodia lacrimevole', cfr. VIRGILIO, *Geor.* IV 514 «miserabile carmen» (Tissoni Benvenuti).

265. *mesto e sconsolato*: variante della dittologia petrarchesca «tristo e sconsolato» (*RVF* CCCXXXI 35).

269. Cfr. OVIDIO, *Met.* X 84-85 «citraque iuventam / aetatis breve ver et primos carpere flores» (Sapegno).

270. *sesso migliore*: quello maschile, espressione «qui attestata per la prima volta nella nostra letteratura» (Tissoni Benvenuti).

quando son tutti leggiadretti e snelli:
quest'è piú dolce e piú soave amore.
Non sie chi mai di donna mi favelli,
po' che mort'è colei ch'ebbe 'l mio core;
chi vuol commerzio aver co' mie sermoni   275
di femminile amor non mi ragioni.

    Quant'è misero l'uom che cangia voglia
per donna o mai per lei s'allegra o dole,
o qual per lei di libertà si spoglia
o crede a suo sembianti, a suo parole!   280
Ché sempre è piú leggier ch'al vento foglia
e mille volte el dí vuole e disvole;
segue chi fugge, a chi la vuol s'asconde,
e vanne e vien come alla riva l'onde.

    Fanne di questo Giove intera fede,   285
che dal dolce amoroso nodo avinto
si gode in cielo il suo bel Ganimede;
e Febo in terra si godea Iacinto;
a questo santo amore Ercole cede
che vinse il mondo e dal bello Ila è vinto: 290
conforto e maritati a far divorzio,
e ciascun fugga il feminil consorzio.

UNA BACCANTE:
    Ecco quel che l'amor nostro disprezza!
O[h] o[h], sorelle! O[h] o[h], diamoli morte!
Tu scaglia il tirso e tu quel ramo spezza,   295

---

271. *leggiadretti e snelli*: cfr. *Stanze* I 34 4 e n.
275. *commerzio... sermoni*: 'discorrere con me'.
277-84. Cfr. *Stanze* I 14 e nn.
286. Cfr. PETRARCA, *RVF* CLXXV 2-3 «'l caro nodo / ond'Amor di sua
man m'avvinse».
287. *il suo bel Ganimede*: stessa clausola in *Stanze* I 107 6.
289. *santo amore*: «autorizzato dagli esempi degli dei sopra citati» (Tissoni Benvenuti); cfr. *Stanze* II 45 5 «santo furore».
290. *che vinse... vinto*: cfr. *Stanze* I 114 3-4; il gioco di parole utilizza, nel primo emistichio, l'immagine di ascendenza classica (GIOVENALE XIV 313 «qui totum sibi posceret orbem») riecheggiata già da Dante, *Par.* XI 69 «colui [Cesare] ch'a tutto 'l mondo fe' paura» e da BOCCACCIO, *Amorosa visione* VII 77 «Alessandro, che 'l mondo assalí tutto».
293. Cfr. OVIDIO, *Met.* XI 7 «en hic est nostri contemptor» (Nannucci).
295-97. Cfr. EURIPIDE, *Bac.* 1096-1100 (Orlando, *Note*) e OVIDIO, *Met.*

tu piglia o sasso o fuoco e gitta forte,
tu corri e quella pianta là scavezza.
O[h] o[h], facciam che pena el tristo porte!
O[h] o[h], caviangli il cor del petto fora!
Mora lo scelerato, mora, mora! 300

Torna la BACCANTE *colla testa di Orfeo e dice*:

O[h] o[h], o[h] o[h], mort'è lo scelerato!
Euoè! Bacco, Bacco, i' ti ringrazio!
Per tutto 'l bosco l'abbiamo stracciato,
tal ch'ogni sterpo è del suo sangue sazio.
L'abbiamo a membro a membro lacerato 305
in molti pezzi con crudele strazio.
Or vadi e biasimi la teda legittima!
Euoè! Bacco, accetta questa vittima!

EL CORO DELLE BACCANTE:
Ognun segua, Bacco, te!
Bacco, Bacco, euoè! 310

XI 27-30 «vatemque petunt et fronde virentes / coniiciunt thyrsos, non haec
in munera factos; / hae glebas, illae diruptos arbore ramos, / pars torquent
silices» (Nannucci). Si noti l'anafora sul *tu*, per cui cfr. 338 e n. - *scavezza*:
'tronca', cfr. PETRARCA, *RVF* CV 48.

300. *mora, mora*!: cfr. DANTE, *Par.* VIII 75, clausola impiegata pure,
con lieve variatio formale, nel son. *Ciò che m'incontra* 8 (Vita N. XV) e
da PULCI, *Morgante* XXVIII 11 2 («muoia, muoia»).

301. *scelerato*: si noti la replicatio dal verso prec. alla maniera delle coblas capfinidas.

302. *Euoè*: è il grido bacchico presente già nei classici (EURIPIDE, *Bac.*
141; SOFOCLE, *Trach.* 221; ecc.).

303. *stracciato*: 'fatto in brani'.

304. Cfr. VIRGILIO, *Aen.* VIII 645 «sparsi rorabant sanguine vepres»
(Nannucci).

306. *strazio*: in rima con *ringrazio* e *sazio* già in DANTE, *Inf.* VIII 56-60.

307. *biasimi*: lo sdrucciolo di fronte a cesura produce ipermetria sanabi-
le con semplice contrazione (biasmi); qui si conserva nell'ipotesi che il pro-
parossitono fosse richiesto dalla scansione ritmico-musicale (cfr. sotto *bevere*).
- *teda legittima*: cfr. Stanze I 51 4 e n. (pure in rima con *vittima*).

308. *Euoè Bacco*!: anche in OVIDIO, *Met.* IV 523 «Euhoe Bacche» (Tissoni Benvenuti); lega l'ultima ottava alla ripresa del seguente canto carnascialesco.

309-42. Schema tipico dei canti carnascialeschi (x'x', ab'ab'b'x') costruito
con abbondanza di ossitoni; canonico, in quest'ambito, pure l'incipit, affine a quello di molti canti: *Chi colla neve sollazzar si vuole, Chi volesse buon'
cozzoni*, «Chi vuol di voi giucare agli aliossi / venga...», ecc. Si avverta inoltre

   Chi vuol bevere, chi vuol bevere,
venga a bevere, venga qui.
Voi 'mbottate come pevere:
i' vo' bevere ancor mi!
Gli è del vino ancor per ti,   315
lascia bevere imprima a me.

   Ognun segua, Bacco, te!
Bacco, Bacco, euoè!

   Io ho voto già il mio corno:
damm'un po' 'l bottazzo qua!   320

che il coro era forse dialogato e predisposto per un'esecuzione a piú voci,
come sembra d'inferire dai vari *io* che si spartiscono le battute.
   311 *bevere*: in insistita replicatio (anche davanti a cesura, ove l'ipermetria che produce secondo la scansione consueta sarà licenza del canto, come
per *biasimi* al v. 307); era già in rima in FRANCESCO ARZOCHI, *Egloghe* III
78 «et per la fretta non mi volsi ad bevere» e in LUCA PULCI, *Pistole* VIII
26 «e dolce acque da bevere». Qui probabilmente con allusione ad una sete
tutta erotica per cui cfr. TOSCAN, I 584-85.
   313. *'mbottate*: letteralmente 'riempite le botti', fuor di metafora 'tracannate vino'; cfr. LORENZO, *Simposio* VI 116 «del vin tanto ne 'mbotta»
e VII 5. Ma qui è usato equivocamente, come nella canzone di Dioneo ricordata nella lettura a posteriori di ANTONIO MALATESTI, *Dec.* V concl. «Monna Simona imbotta imbotta»
(e vedi pure Toscan, I 494). - *pevere*: 'imbuti', la Tissoni Benvenuti cita
la glossa polizianesca del cod. Monacense Lat. 754, c. 165v «Quod vulgo
dicitur 'imbuto' vel 'pevera' latine infundibulum ut apud Catonem habes».
Anche qui sarà da scorgere comunque un'allusione all'organo genitale femminile, secondo la lettura a posteriori di ANTONIO MALATESTI, *Tina* XIX
1-4 «I' are' bisogno, Tina, or che s'imbotta / questo poco di vin che s'è
raccolto, / perché 'l mio peverin m'è stato tolto, / oggi della tua pevera a
buon'otta» (*La Sfinge, i brindisi de' Ciclopi e la Tina di Antonio Malatesti*,
ed. P. Fanfani, Milano, 1865).
   314-15. *mi... ti*: «Le forme settentrionali delle rime *mi: ti* rappresentano
uno scherzoso omaggio alla parlata del committente e del suo pubblico» (Tissoni Benvenuti). - *vino*: allusione sessuale, secondo la tradizione carnascialesca e come nelle ballate polizianesche *Canti ognun, ch'io canterò* 11-12 «Pur
sollecito, pur buchero / per aver del vino un saggio», e *I' son, dama, el porcellino* 21-22 «Del tuo vin molto piú bere; / va', ripon la metadella».
   319. *voto*: part. forte, 'vuotato'. - *corno*: cfr. *Stanze* I 111 7, ma qui verosimilmente dotato di un significato secondo affine a quello in cui l'aveva
impiegato BOCCACCIO, *Dec.* II 7 «non avendo mai davanti saputo con che
corno gli uomini cozzano»; per un'altra attestazione in tal senso si veda il
canto carnascialesco *Tutti siàn mastri d'occhiali* 9-14 «Se ci fussi qualche
putto / che volessi anche 'mparare, / insegnerégli l'arte in tutto: / prima i
corni dirizzare; / poi segagli e trapanare, / fin che sappi far gli occhiali»,

Questo monte gira intorno,
e 'l cervello a spasso va.
Ognun corra 'n za e in là
come vede fare a me.

Ognun segua, Bacco, te!   325
Bacco, Bacco, euoè!

I' mi moro già di sonno:
son io ebria, o sí o no?
Star piú ritte in pie' non ponno:
voi siate ebrie, ch'io lo so!   330
Ognun facci come io fo:
ognun succi come me!

Ognun segua, Bacco, te!
Bacco, Bacco, euoè!

Ognun gridi: Bacco, Bacco!   335
e pur cacci del vin giú.
Po' co' suoni faren fiacco:

e 19-20 «No' mettìano il corno in molle, / perché poi meglio si piega» (*Canti
carnascialeschi del Rinascimento*, ed. C. Singleton, Bari, 1936) .

320. *bottazzo*: qui 'fiasco', come in BOCCACCIO, *Dec.* IX 8 «datogli un
bottaccio di vetro... dissegli: - Tu te n'andrai a lui con questo fiasco in mano».

321. *Questo... intorno*: è il capogiro, effetto dell'ubriachezza.

322. *e 'l... va*: espressione affine a 'volare il cervello' (insanire), studiata
da chi scrive in «Lingua Nostra», XLIII (1982), 14.

323-24. *Ognun... me*: la Baccante che ha la parola guida la danza orgia-
stica, come a 331-32. - *'n za*: altro settentrionalismo, 'in qua'.

326. Cfr. STAZIO, *Silvae* I 6 96-97 «Iam iam deficio tuoque Baccho / in
serum trahor ebrius soporem» (Tissoni Benvenuti).

329. *Star piú... ponno*: la Baccante (che evidentemente non è la stessa
cui vien fatto pronunciare il distico precedente) si rivolge al pubblico addi-
tando le compagne insonnolite. La rima *sonno-ponno* (anche in *Stanze* II
30 1-5) era stata diffusa da Petrarca, *RVF* LIII 15-19, LXXXIII 9-13,
CCCXXVII 9-12, CCCLIX 70-71 e CCCLX 62-63.

330. *siate*: 'siete', analogico su siamo (cfr. Ghinassi 47). - *lo so*: piuttosto che intendere 'lo sono' (*so'*), propendo anch'io, come la Tissoni Benvenuti, per la spiegazione 'lo constato, lo vedo bene'.

331-32. Cfr. EURIPIDE, *Ciclope* 563-64 (Tissoni Benvenuti). - *succi*: da
prendere, dato il contesto, in senso carnascialmente osceno; cfr. LOREN-
ZO, *Canzona delle forese* 19 «apri ben la bocca e succia».

337. *faren fiacco*: letteralmente 'faremo strage' (cfr. PULCI, *Morgante*
XXVII 11 7), fuor di metafora forse 'suoneremo fino a stordire chiunque';
anche la Tissoni Benvenuti: «qui pare trattarsi di una strage solamente acu-
stica». Presso Orlando sopravvive invece la vecchia interpretazione: «Fare-

bevi tu e tu e tu!
I' non posso ballar piú.
Ognun gridi: euoè!   340

    Ognun segua, Bacco, te!
Bacco, Bacco, euoè!

mo strage di vino». Poiché il finale inscena un vero e proprio Baccanale
sembra probabile del resto un'accezione secondaria di carattere osceno ('fiac-
cheremo ogni amante'), rispondente al vanto erotico di queste carnasciale-
sche Baccanti.

    338. Il triplice *tu* pone almeno tre interlocutrici di fronte alla Baccante
che ha la parola, mentre ai vv. 295-97 sembrerebbero quattro.

    339. *ballar*: sovente in senso osceno nei canti carnascialeschi, cfr. in par-
ticolare *D'Ungheria, donne, in Italia passati* 17-22 «Quest'orso di ballar mai
non accetta, / se non sente sonare; / né vuol mai in tana entrare, / se non
pulita e netta: / però se l'orso al danzare vi diletta, / della natura sua siate
informati» (ed. Singleton, cit. qui sopra); e vedi pure Toscan, II 1055-56.

    340. Si noti il parallelismo col v. 335.

Appendice Alla «Fabula Di Orfeo»

Chi allestí la rappresentazione in onore del cardinal Francesco Gonzaga (committente dell'operina stessa), con Baccio Ugolini nelle vesti del protagonista, inserí le tre seguenti macrovarianti. In effetti, «se esaminiamo il testo in funzione di una sua realizzazione sulla scena, avvertiamo la necessità di queste modifiche. Orfeo deve cantare qualche cosa sia quando arriva in scena la prima volta sia durante il cammino con Euridice alle spalle, prima di voltarsi indietro: sono due momenti in cui è necessaria una pausa lieta per dare maggior risalto alla tragedia immediatamente seguente» (Tissoni Benvenuti). Nel secondo caso, la didascalia dell'originale («Orfeo vien cantando alcuni versi lieti e volgesi») prevedeva già che il protagonista, camminando verso la luce, cantasse dei versi la cui scelta era evidentemente lasciata all'interprete o agli organizzatori della recita, in modo da prolungare per un attimo di fronte agli spettatori la gioia di vedersi restituire Euridice. Chi curò l'allestimento pensò dunque di ricavare, per cosí dire, un'arietta da un breve centone di versi ovidiani (*Amores* II 12 1 + 2 adattato + 5 + 16).

Nel primo caso invece l'interpolazione non sembra trovar giustificazione nelle indicazioni dell'autore, ma dall'intento di inglobare nel testo l'ode saffica che egli aveva dedicato al medesimo cardinale (di cui in quell'occasione l'Ugolini si limitò però ad intonare le prime due strofe).

Quanto all'inserzione, infine, dell'ottava rivolta da Minosse a Plutone, è meno facile evincere dal contesto il motivo che spinse ad effettuarla. Basti qui osservare che Minosse, non ricordato altrimenti nella *Fabula*, diviene in quel momento il quarto personaggio in scena (con Orfeo, Plutone e Proserpina), in contrasto con i precetti dei classici, cui Poliziano si atteneva, che non volevano piú di tre attori contemporaneamente sulla ribalta.

Ecco il testo delle aggiunte in questione, con le relative didascalie e la traduzione dei brani in latino.
(dopo il v. 140)

Orfeo, cantando in su la lira e seguenti versi latini, li quali a proposito di messer Baccio Ugolino, attore de ditta persona

*d'Orfeo, sono in onore del Cardinale Mantuano, fu interrotto
da uno pastore nunciatore della morte de Euridice:*

O meos longum modulata lusus
quos amor primam docuit iuventam,
flecte nunc mecum numeros novumque
dic, lyra, carmen: 4

    non quod hirsutos agat huc leones;
sed quod et frontem domini serenet,
et levet curas, penitusque doctas
mulceat aures.   8

    Vindicat nostros sibi iure cantus
qui colit vates citharamque princeps;
ille cui sacro rutilus refulget
crine galerus;   12

    ille cui flagrans triplici corona
cinget auratam diadema frontem.
Fallor? an vati bonus haec canenti
dictat Apollo?   16

    Phoebe, quae dictas rata fac, precamur!
Dignus est nostrae dominus Thaliae,
cui celer versa fluat Hermus uni
aureus urna;   20

    cui tuas mittat, Cytherea, conchas
conscius primi Phaetontis Indus;
ipsa cui dives properet beatum
Copia cornu.   24

    Quippe non gazam pavidus repostam
servat, Aeaeo similis draconi:
sed vigil Famam secat, ac peremni
imminet aevo.   28

    Ipsa Phoebeae vacat aula turbae
dulcior blandis Heliconis umbris:
et vocans doctos patet ampla toto
ianua poste.   32

    Sic refert magnae titulis superbum
stemma Gonzagae recidiva virtus,
gaudet et fastos superare avitos
aemulus haeres.   36

Scilicet stirpem generosa suco
poma commendant; timidumque nunquam
vulturem foeto Iovis acer ales
extudit ovo.   40
    Curre iam toto violentus amne,
o sacris Minci celebrate Musis!
Ecce Moecenas tibi nunc Maroque
contigit uni!   44
    Iamque vicinas tibi subdat undas
vel Padus multo resonans olore,
quamlibet flentes animosus alnos
astraque iactet.   48
    Candidas ergo volucres notarat
Mantuam condens Tiberinus Ocnus,
nempe quem Parcae docuit benignae
conscia mater.[1]   52

---

[1] O lira, che a lungo modulasti i miei giochi poetici, quelli che l'amore insegnò alla prima giovinezza, muta or con me il verso e intona un nuovo carme (1-4): non per chiamar qui gl'irsuti leoni, ma perché rassereni il volto del mio signore e allevi le sue preoccupazioni e delizi le sue dotte orecchie (5-8). A buon diritto rivendica per sé i miei canti quel signore che onora i poeti e la poesia, quello cui rifulge sul sacro crine il rosso cappello [*scil.* cardinalizio] (9-12); quello a cui il diadema sfavillante dalla triplice corona [*scil.* il triregno papale] cingerà la fronte dorata. M'inganno? Non detta forse il buon Apollo questi versi al poeta che li canta (13-16)? Febo, ti prego, fa' che i presagi che m'ispiri siano veritieri! Il padrone della mia Musa è degno che per lui solo l'aureo Ermo scorra veloce versando i doni del proprio scrigno (17-20); che a lui, o Citerea, le tue perle invii l'Indo, il quale vede il primo sole; che a lui la stessa ricca abbondanza porga il dovizioso corno (21-24). Egli difatti non custodisce, geloso, un tesoro nascosto, come fa il drago Eèo: ma, vigile, persegue la Fama e anela all'eternità (25-28). La sua stessa casa, piú dolce delle miti ombre d'Elicona, si apre ad uno stuolo di poeti; e la porta è spalancata in tutta la sua grandezza ad invitare i dotti (29-32). Cosí la rinascente virtú della gran famiglia dei Gonzaga rende la propria stirpe nuovamente fiera delle sue insegne, e l'emulo erede è felice di superare i fasti degli avi (33-36). Certo i generosi frutti lodano la pianta col loro succo; e mai il feroce uccello di Giove generò dal proprio uovo il pavido avvoltoio (37-40). Corri ormai impetuoso con tutta la tua forza, o Mincio celebrato dalle sacre Muse! Ecco che a te solo tocca ora in sorte colui che è insieme Mecenate e Virgilio (41-44). E anche il Po risonante del canto di molti cigni ti sottomette ormai le vicine onde, per quanto vanti con orgoglio i suoi piangenti ontani e le sue stelle [*scil.* la costellazione di Eridano] (45-48). Fondando Mantova, aveva dunque visto i candidi uccelli Ocno Tiberino, istruito dalla madre [*scil.* Manto], consapevole che la Parca gli era benevola (49-52).

(dopo il v. 188)

MINOS *a Plutone*:

> Costui vien contro la legge de' Fati
> che non mandan qua giú carne non morta.
> Forsi, o Pluton, che con latenti aguati
> per tòrti el regno qualche inganno porta.
> Gli altri, che similmente sono intrati
> come costui la irremeabil porta,
> sempre ci furno con tua vergogna e danno:
> sii cauto, o Pluton, qui cova inganno.

(dopo il v. 244)

ORFEO *ritorna, redenta Euridice, cantando certi versi alegri che sono de Ovidio accommodati al proposito*:

> Ite triumphales circum mea tempora lauri!
>   Vicimus: Euridice reddita, vita mihi est.
> Haec est praecipuo victoria digna triumpho:
>   huc ades, o cura parte triumphe mea.[2]

---

[2] Cingete le mie tempie, o lauri trionfali! Ho vinto: restituitami Euridice, torno a vivere. Questa è una vittoria degna del piú grande trionfo: vieni, o trionfo prodotto dalla mia pena.

INDICE

STANZE

FABULA DI ORFEO